最新データでわかる
日本人・韓国人・中国人

造事務所 編著

PHP文庫

○本表紙図柄＝ロゼッタ・ストーン（大英博物館蔵）
○本表紙デザイン＋紋章＝上田晃郷

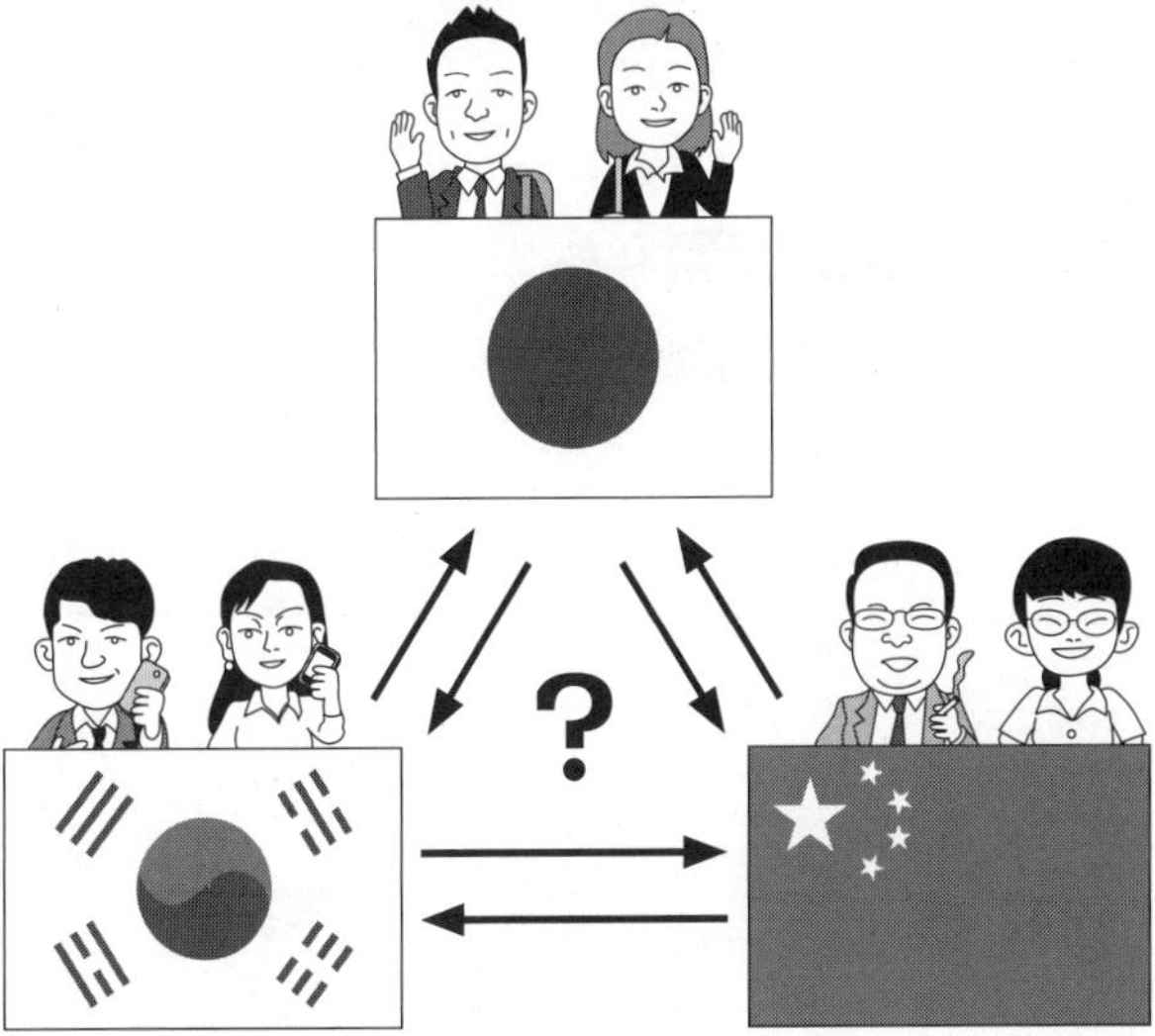

日本人・韓国人・中国人は

お互いをどう見ている？

古代から複雑な関係にある日本・韓国・中国。
それぞれの国民は、お互いどのような印象を持っているのだろうか。

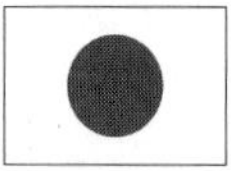

韓国人・中国人に聞きました

日本人のイメージは？——

韓国人から見ると…

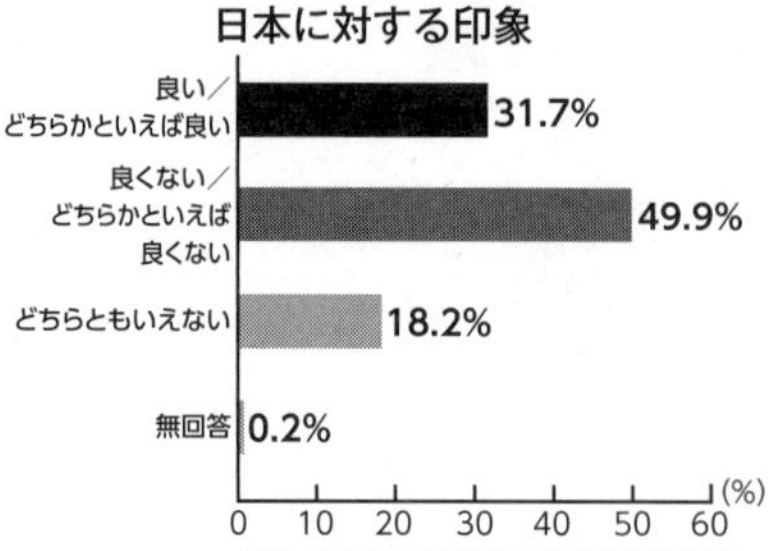

出典：第7回 日韓共同世論調査（2019年）

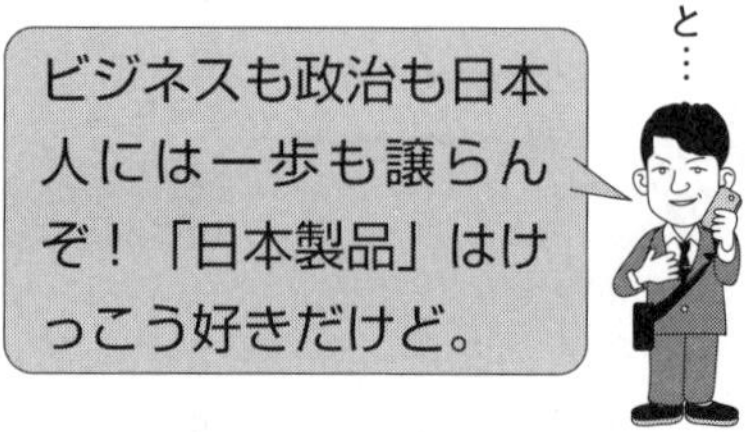

韓国人の日本に対する感情は、世代や階層により異なる。戦前の日本統治時代を知る高齢者は、日本人を恨む者もいたが、日本人から高等教育を受けた層は戦後、日本と協調して国力を高めた。

現在の40～60代は経済成長で自信をつけ、政治や産業での日本へのライバル心を隠さない。反日教育も続いているが、その反動か20代以下の若い世代は、日本の文化やエンタメを受け入れる人も多い。

中国人から見ると…

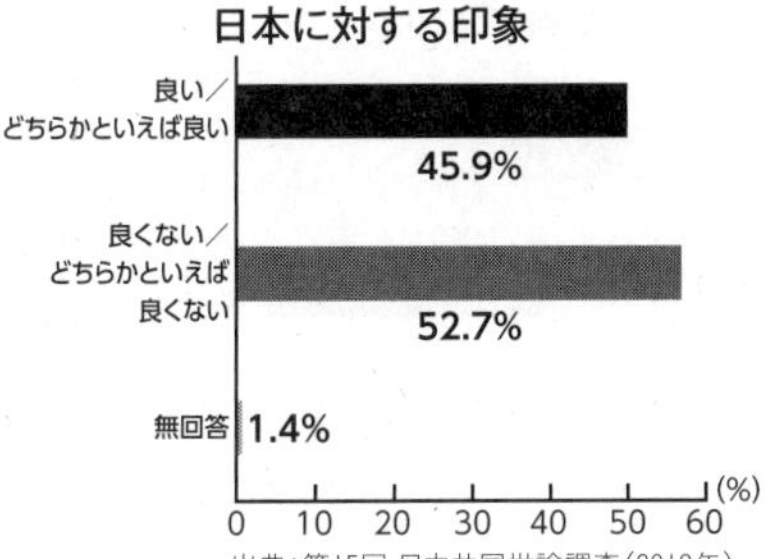

出典：第15回 日中共同世論調査（2019年）

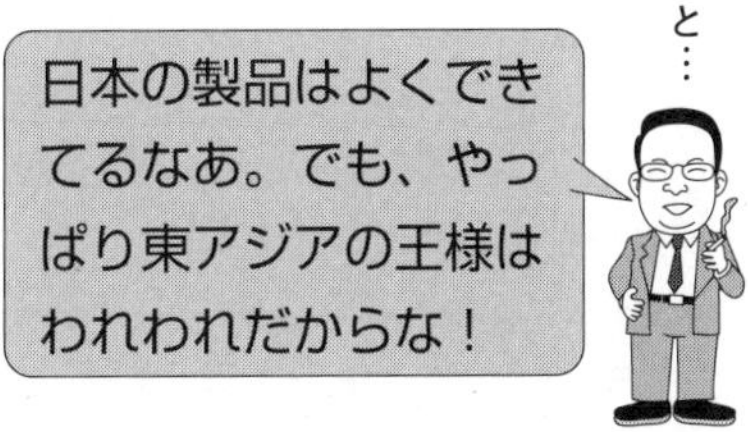

新型コロナウイルスの世界的な大流行により激減したが、訪日中国人観光客は、日本の文化や工業製品、商業施設のサービスなどへの好感度が高い。

１９９０年代まで中国にとって日本は見上げる対象だったが、21世紀に入ると、急速な経済発展を背景に日本相手にも強気の態度を示すようになってきた。「自分たちこそ東アジアの中心！」という意識があるからだ。

日本へのイメージ

＋ 旅行や都市、日本製品やブランド、アニメ、テレビ番組、文化

－ 歴史問題や自然災害、原発事故、歴史の歪曲、日和見主義

出典：中日韓国民相互認知調査（２０１８年）

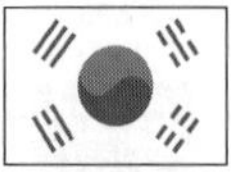

日本人・中国人に聞きました

韓国人のイメージは？——

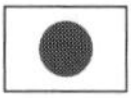

日本人から見ると…

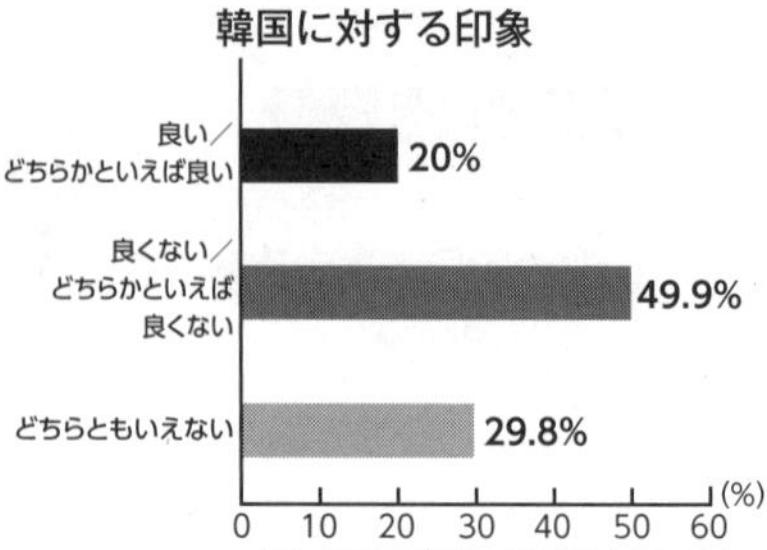

出典：第7回日韓共同世論調査（2019年）

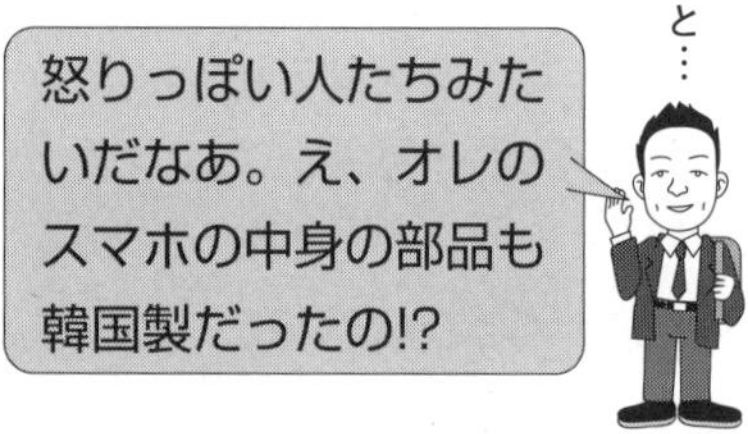

日本人の韓国観は世代ごとに差がある。韓国は長らく、好き嫌い以前によくわからない国だった。1980年代まで韓国は軍事政権だったからだ。

中高年の間では、韓国は途上国で感情的になりやすいというイメージが強い。ところが、いつの間にかIT分野などで韓国製品が世界に広まり、20代以下の若い世代には、韓国カルチャーに好感をいだく人も増えている。

中国人から見ると…

韓国に対する印象（10代）

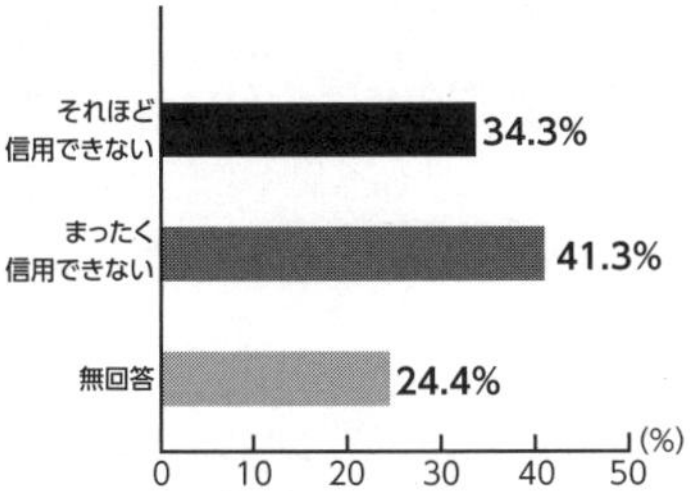

出典：「中国人の韓国に対する認識調査」報告書（2017年）

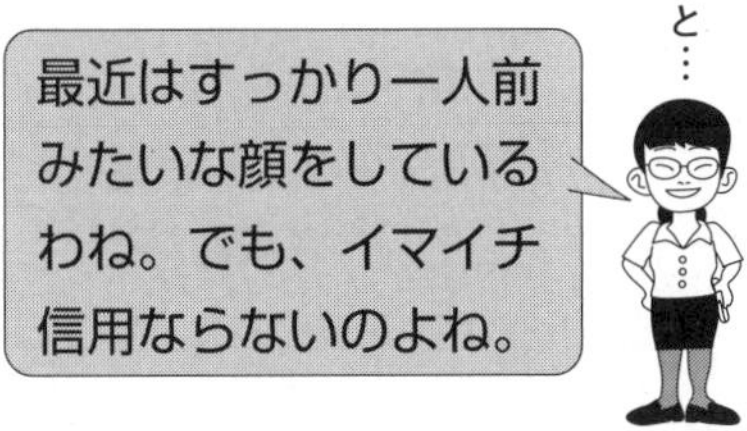

歴代の中国王朝は、朝鮮半島の王朝を弟分のように扱ってきた。現在の中国政府と韓国政府が正式に国交を結んだのは１９９２年のことで、そう古い話ではない。

中国から見ると、韓国はアメリカの傘《さん》下《か》にあり、ビジネスの相手としていまいち信用できないところがある。日本人には見えない部分で、中国人と韓国人にも対立があるのだ。

韓国へのイメージ

＋ グルメ、美容整形、美容、化粧品、韓国企業と韓国製品

－ 歴史問題、社会の腐敗、ＴＨＡＡＤミサイル（終末高高度防衛ミサイル）配備

出典：中日韓国民相互認知調査（２０１８年）

日本人・韓国人に聞きました

中国人のイメージは？――

日本人から見ると…

中国に対する印象

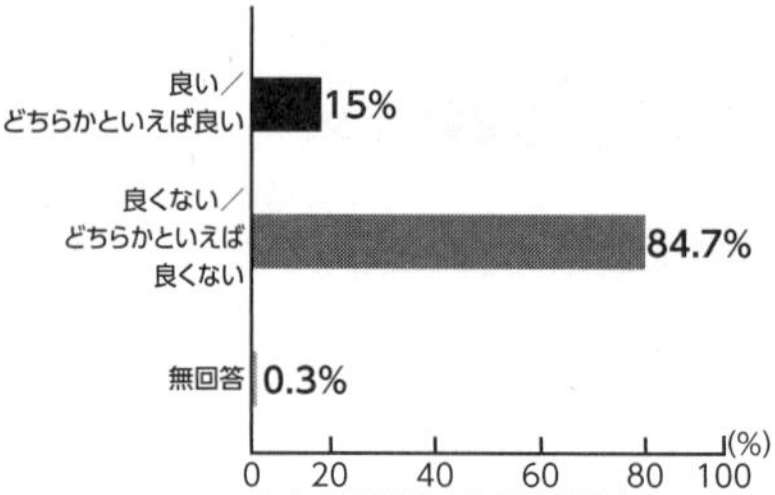

出典：第15回日中共同世論調査（2019年）

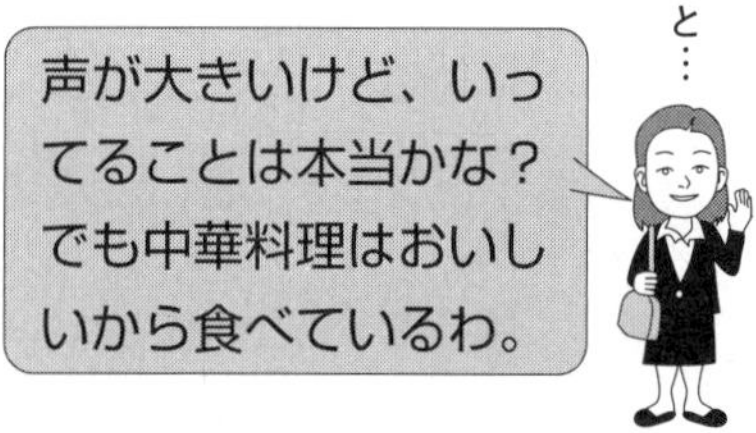

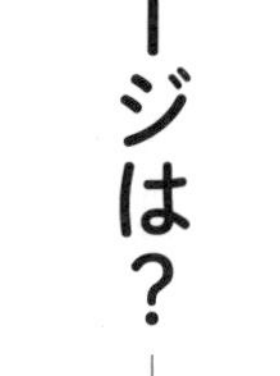

中国人観光客といえば「声が大きい」「マナーが悪い」というイメージがある。国レベルも同じで、国際社会における中国の声の大きさも無視できなくなってきた。

共産党独裁体制で情報が統制されているため、信用できない面もある。だが、中華料理や『三国志《さんごくし》』『西遊記《さいゆうき》』などの「中国文化」は定着しており、好感を持つ人は少なくない。この点は日中ともお互いさまとなるようだ。

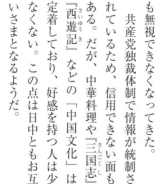

韓国人から見ると…

中国に対する印象

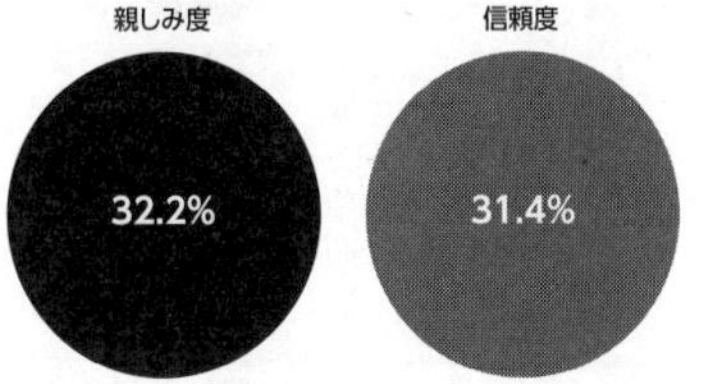

出典：中日韓国民相互認知調査（2018年）

いろいろ大ざっぱでやたら強気なのよね。商売のお得意先としてはありがたいけど。

第二次世界大戦後、先に経済成長したこともあり、韓国人から見れば、中国人はまだ発達段階だ。

しかし、急成長する中国の経済力と、強大な軍事力に呑み込まれる潜在的な恐怖感がある。ＩＴ機器や自動車、エンタメ産業などの売り込み先として中国市場をありがたく思いつつ、国家的な生き残り戦略として韓国文化の独自性を強くアピールしている。

中国へのイメージ

＋ 人口が多い、国土が広い、旅行、都市、食べ物、中国製品

− 環境汚染や偽物の安価な商品、領土問題、反日感情

出典：中日韓国民相互認知調査（２０１８年）

最新データでわかる 日本人・韓国人・中国人 目次

データ04 健 日本・韓国・中国の健康・福祉

データ05 恋

日本・韓国・中国の恋愛・結婚

データ08 文化 日本・韓国・中国の文化

データ09
金 日本・韓国・中国のお金・経済

■日本・韓国・中国の簡単戦後年表

年	できごと
1948	大韓民国・朝鮮民主主義人民共和国が成立
1949	中華人民共和国が成立
1950	朝鮮戦争が勃発(~1953休戦)
1961	韓国で軍事政権が成立
1965	日韓国交樹立
1971	中華民国に代わり中華人民共和国が国連に加盟
1972	日中国交樹立
1979	中国が「一人っ子政策」と「改革開放」を導入
1987	韓国で民主化運動により軍事政権が終了
1989	天安門事件(中国共産党が国内の民主化運動を弾圧)
1992	韓中国交樹立
1997	中国が出国を自由化/英国から香港が中国に返還される
2002	日韓共催の2002FIFAワールドカップが開催される
2010	中国2010年上海万博が開催される
2020	新型コロナウイルスの影響で東京2020オリンピック・パラリンピックが延期

美

データ01

日本・韓国・中国の
ファッション・美容

ファッションの世界で3国間の競争が激化

日本・韓国・中国ともに、欧米の高級ブランドも人気だが、独自のファッションが開拓されている。

●自然体と遊び心のあるスタイルが人気

2010年代から、日本では流行をとり入れながらも手ごろな価格の「ファストファッション」が広まっている。国内メーカーの代表格といえるユニクロは、シンプルだが品質の信頼性が高い大衆的ブランドに成長した。また、ビジネスの現場では夏のクールビズがすっかり定着し、肩肘張らない自然体のスタイルが広まっているといえる。

美

日本発のファッション潮流としては、歌手でモデルのきゃりーぱみゅぱみゅなどが広めた「原宿Ｋａｗａｉｉ系」が海外でも人気だ。髪をピンクや水色に染めたり、まるでアニメやゲームのキャラクターのように派手で、子どもっぽく見えるが、これをさらにパンク風やゴスロリ風にアレンジしたり、自由なアレンジをしている人も多い。

また、２０１６年には、小池百合子東京都知事がハロウィンで漫画キャラクターの「リボンの騎士」のコスプレをしたり、安倍晋三元首相がリオデジャネイロ・オリンピックの閉会式でゲームキャラクターの「スーパーマリオ」の格好をしたりと、コスプレ文化が定着している。

ファッションは社交の道具、あるいはセンスの高さや財力を誇示するものという意識が強かったが、遊び心をもって楽しむ傾向が強まっているようだ。

海外を意識した韓国のメイクとエステ

政治や経済では何かとぶつかることが多い日本と韓国だが、それとは関係なく、若い女性の間では交流がさかんだ。日本では、韓国で生まれたオルチャン（美少女）メイクを参考にしたモデルのファッション誌やメイク法を紹介する動画サイトが注目されている。

韓国人女性のメイクやファッションのセンスは大人っぽく、チークや口紅は濃い赤を大胆に使ったりする。日本より経済規模が小さい韓国は、エンタメ産業も海外市場を強く意識しているため、アイドルも欧米人に見劣りしない色白でくっきりした顔立ちをめざす傾向があるようだ。

東アジア屈指のオシャレ消費大国といえる韓国では、美容整形の医院やエステ店のほか、美肌やダイエット効果を売りにしたマッサージや温泉、健康食レストランなどを備えた施設が数多い。そうした場所には日本人をふくめ多くの外国人客が集まり、大きな外貨収入源となっている。

「メイドインチャイナ」の隠れた問題

北京や上海の若者のスタイルは、日本とほとんど違いがなくなりつつある。今や女性ばかりでなく、男性もスキンケアやヘアメイクにこだわる人

美

が多い。香港出身のライアン・ローなど、欧米のファッション界で注目を集める中国人デザイナーも増えた。

中国では海外ブランドの偽物の製造・販売が横行して問題となっていたが、取り締まりが強化されて減少した。とはいえ、日本の「無印良品」を中国の業者が勝手に商標登録するなどの問題が起こっているほか、今も広州の商店街では、高クオリティな偽ブランド品の専門店が〝裏の観光名所〟になっているという。

広大な中国の強みは、絹や綿、ウール、カシミヤといった衣類や繊維製品の原料を大量に国内で生産できることだ。綿花は世界シェアの約24％、羊毛は約22％を占める。

ただ、それらの生産地である新疆《しんきょう》ウイグル自治区、チベット自治区、内モンゴル自治区などでは、少数民族が奴隷のような待遇で働かされている事例もあり、世界から非難されている。ファッションの世界にも、人権弾圧などの民族問題がからんでいるのだ。

ファッション・美容

01 民族衣装

現代的アレンジで復活しつつある「和服」と「韓服」と「漢服」

カジュアル化で復権しつつある和服

日本は着物の市場規模が年間2875億円におよぶ。ただ、初詣や成人式などに使われる晴れ着は高額なので、レンタルしたり、家族や親戚から借りたりする人が多いようだ。一方、若者向けにカジュアルな和服を展開するブランドが増え、多くはないものの甚兵衛《じんべえ》や作務衣《さむえ》を普段着に愛用する男性もいるほどだ。『鬼滅の刃』ブームの影響か、シャツやパーカーの上に羽織をまとったり、大正時代のような和洋折衷《せっちゅう》スタイルで着こなしたりする人もいる。

日本、韓国、中国ともに、ナショナリズムの高まりにつれて伝統文化の再評価が進んでいる。民族衣装の市場規模は、中国では約170億円、韓国では既製服だけで約590億円、生地もふくめればその倍以上になるという。

人気アイドルも愛用するカジュアルな「生活韓服」

韓国の民族衣装は、韓服と総称される。上着はチョゴリと呼ばれ、女性が着用するチマ（袴）は胸の高さまであり、腰を帯で締めつけないので動きやすい。

韓流歴史ドラマではよくカラフルな衣装が登場するが、史実では、近世まで地味な白か黒のみの衣服が多かったという。

近年は「生活韓服」と呼ばれる現代的にアレンジされた民族衣装が人気だ。女性用は華やかな柄物もあるが、男性用は作務

これらの伝統的な衣装をアレンジしてよりスタイリッシュに着こなす人もいる。

衣とスウェットの中間の普段着用のものが多い。アイドルグループのＢＴＳ（防弾少年団）のメンバーは、生活韓服を愛用している。

現代的に多様化している「漢服」

中国の民族衣装といえば、チャイナドレス（旗袍《チイパオ》）を思い浮かべる人が多いだろう。ただし、旗袍はもともと満洲《まんしゅう》族の衣服をもとに20世紀以降に広まったものだ。多数を占める漢民族の伝統的な衣服は漢服といい、ゆったりした形状で、日本の和服より裾が広くて長いものが多い。

最近はパステルカラーを使ったりカジュアル風にアレンジされたりした漢服が多く、漢服に革靴や洋装の小道具を組み合わせたり、日本のファッションに影響されてゴスロリ風の漢服を販売するブランドもある。現代では日本、韓国、中国とも、コスプレのような非日常感の混じったファッションとして、伝統的な衣服を楽しんでいるようだ。

日本	韓国	中国
2875億円	**6000**億ウォン（約590億円）	**10億9000**万元（約166億円）

出典：きものと宝飾社調べ、NETIB-NEWS、「中国商業新聞」

ファッション・美容

02 学生服

中国の学校は1日中ジャージ？日本や韓国の制服にあこがれる生徒たち

ブランド制服を売りにする学校も

制服は10代の若者にとって重要なファッションのひとつだ。日本の大手制服メーカー、カンコー学生服が各国の高校生に行なった調査（2007年）では、日本では81％、韓国では97％、中国では92％が、学校指定の制服があると答えている。

現在、日本では男子高校生の制服はブレザーが約50％、詰め襟の学ランが約40％、女子はブレザーが約75％、セーラー服が約20％で、男女ともブレザーが主流だ。

女子の場合、オシャレな制服かどうかが志望校を決める理由になることもある。

2018年には東京・銀座の公立小学校の校長が、正式な制服ではないが、一式そろえると約9万円もするアルマーニの標準服の導入を決めたことが話題となった。

これは極端な例とはいえ、多くの名門校は制服をシンボルとして重視している。

タイトな制服を好む韓国

韓国の中学校や高校の制服も、かつては詰め襟とセーラー服が多かったが、現在はブレザーが主流だ。

見映えを気にする韓国らしく、水色やピンク、黄色など明るい派手な色合いで、デザイン性の高い制服も多い。なかには、伝統的な民族衣装の要素を取り入れた板前の調理衣のような制服を導入している学校もある。

また、男女とも制服の着こなしは、ぴったりとして体のラインがわかるスタイルが好まれる。

日本や韓国の制服をもとに、中国が新たな制服を作り出すかもしれない。

男子は細いズボン、女子はタイトスカートが多く、あえて小さいサイズの制服を着る生徒も少なくないという。

だぶだぶのジャージで入学する中国の生徒

日本ではあまり知られていないが、じつは中国の学校制服は男女ともジャージの場合が多い。体育の時間だけでなく、登下校も教室での授業もずっとジャージなのだ。

中国での学校の制服が普及したのは1990年代で、当時は安価で動きやすく、丈夫なことからジャージを導入する学校が多かった。子どもたちの成長を見越して、はじめから大きめのサイズを買うことが多く、韓国とは対照的に、だぶだぶのものを着ている生徒もよくいるそうだ。

機能性を重視しているためデザイン性は低い。このため、日本や韓国のオシャレな制服にあこがれるティーンも多く、経済成長とともに、上海などの都市部ではデザイン性の高い制服を採用する学校が現われているという。

《学校の制服に対する印象（2007年調査）》

日本	韓国	中国
好き:24.7%	好き:35.1%	好き:37.0%
嫌い:22.2%	嫌い:28.9%	嫌い:52.2%
どちらでもない:53.1%	どちらでもない:36.1%	どちらでもない:10.9%

出典:カンコー学生服「6ヶ国の高校生の制服に関する意識調査」

ファッション・美容

03 ユニクロ

今や衣類の生産も販売も、中国こそが主戦場のユニクロ

類似ブランドも出回るほどの人気

カジュアルウェアの分野で、今や世界的な人気ブランドとなっているのが、日本のユニクロだ。2019年には海外市場での営業利益が1389億円となり、初めて国内での営業利益を上回った。2020年の店舗数は、国内で813店、海外は1439店で、香港をふくめた中国が798店と半分以上を占める。

ユニクロがアメリカの有名アーティストであるカウズとコラボしたTシャツを発売したところ、中国では即座に売り切れた。定価では99元（約1552円）の商品が中古市場で5倍もの値で取引されるという事態も起きた。また、中国ではユニクロそっくりの看板を掲げた国産ブランドのメイソウ（名創優品）も人気だ。

韓国には、163店舗ある。2019年に日本製品の不買運動が起こったが、冬

を前にユニクロが保温肌着の「ヒートテック」を10万着もの無料配布をすると、店舗に長蛇の列ができた。反日感情があってもユニクロの商品は人気のようだ。

今や生産も販売も中国と一蓮托生

ユニクロを展開するファーストリテイリングが、中国の縫製工場に受注委託をはじめたのは1986年のことだ。同社にとって中国は大きな市場であると同時に、衣類の原料となる綿花の調達や、縫製作業を行なう生産地でもある。

だが、それだけに2020年の新型コロナウイルスの流行では大打撃を受けることになった。同年2月には中国内の全店舗の半数にあたる370店を閉鎖することになったうえに、中国内の工場の多くも閉鎖を余儀なくされ、ほかの各国の店舗への出荷にも影響が出ている。

せっかくの大事なお得意様とはいえ、生産も販売も一国に依存しすぎるのは大きなリスクとなる。

出典:FAST RETAILING公式サイト

ファッション・美容

04 メンズコスメ

日本人よりも肌を気にする、イマドキの韓国人・中国人男性

男でも肌が汚いとビジネスマン失格？

どの国でも、日焼けや肌荒れを気にする女性は多いが、男性の場合はどうだろうか？世界9カ国（日本、アメリカ、中国、韓国、タイ、ドイツ、インドネシア、シンガポール、イギリス）での20～30代の男性ビジネスマンのスキンケア実施率を比較すると、日本は約51％と意外なまでに少ない。

一方、韓国は約87％、中国は約89％にもなる。スキンケアをする理由は、韓国では「異性から評価されたい」が多く、中国では「仕事ができる男として見られたい」という理由が多かったという。

つまり、韓国でも中国でも、エリートビジネスマンになるには服だけでなく、肌も気にするようだ。日本ではまだまだ、「男が肌を気にして化粧するなんて恥ずか

しい」といった意識があるかもしれない。

肌への意識は気候の影響!?

整形大国として知られる韓国では、男性も美容整形や肌を若く保つための手術を受ける人が少なくない。男性用の保湿ジェルやクリームなどは種類も豊富で、とくに人気メーカーのCOSRXが発売しているニキビパッチは、男女問わず芸能人の多くが愛用しているという。

２０００年代に韓国から広まったスキンケア商品のBBクリームは、中国でも大人気。さらに近年はスキンケアにとどまらず、毛穴やニキビのあとをきれいに隠すような、本格的な化粧品が中国人男性にも売れている。

韓国人と中国人が肌を気にするのは、気候の影響もあるのだろう。太平洋に面する東京の湿度は年間平均で約70%だが、ソウルは64%、北京は54%と乾燥気味で寒暖の差も大きい。日本人の肌は自然に守られているともいえるのだ。

《成人男性のスキンケア実施率(2018年)》

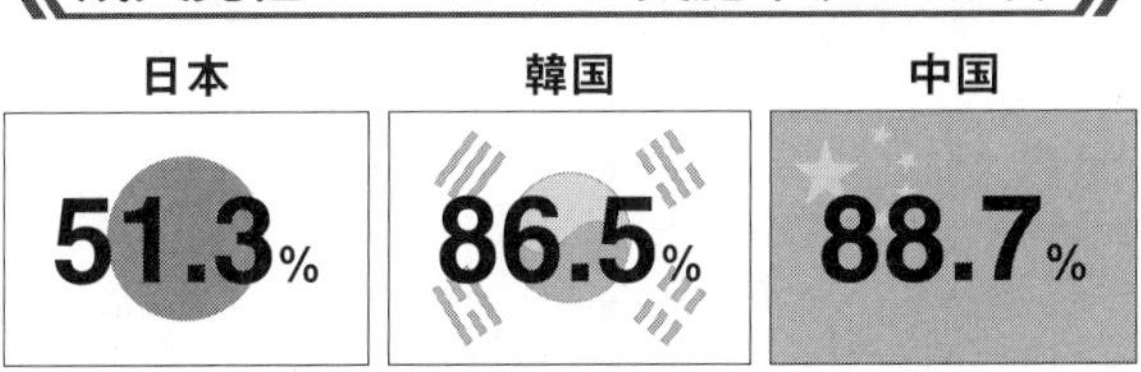

出典:「週刊粧業オンライン」(2018年5月23日付)

ファッション・美容

05 ファッション誌

韓国は豪華な付録で読者を獲得。中国では誌面にAR技術を活用！

まだまだ根強い読者モデルの影響力

紙の雑誌よりネット情報が重宝されるようになって久しいが、ファッション誌は出版界ではまだ生き残っており、読者モデル出身のアーティストや流行を発信するインフルエンサーも多い。ただ、若い世代があまり雑誌を買わないのは事実だ。現在、日本でもっとも売れている女性ファッション誌は、「リンネル」と「ｓｗｅｅｔ」（ともに宝島社）で、想定読者はそれぞれ30代、20代後半以上となる。

今やファッション誌の売上を左右しているのは付録だ。日本ではバッグやポーチが多いが、韓国では高価な最新コスメが定番で、書店のレジには雑誌と別に付録が置いてあるという。いちばん人気の『Ｃｅ《セ》Ｃｉ《シ》』は20代が想定読者で、韓国メイクに興味のある日本の女性にもファンが多い。アメリカの『ＩｎＳｔｙｌｅ』、フランスの『ＥＬＬＥ』の韓国版もよく読まれている。

中国でも日韓のタレントが表紙モデルに

中国でも海外のファッション誌の自国版は人気だが、編集方針で独自路線を示すこともある。２０１８年にはイタリアの『ＧＲＡＺＩＡ』の中国版の『紅秀《グラーツィア》』で、少女時代のユナや、木村拓哉と工藤静香の娘として知られるＫōｋｉが表紙に起用されたことが話題を呼んだ。

最大手のファッション誌は、日本の「ＶｉＶｉ」（講談社）の中国版から発展した『昕薇《シンウェイ》』といわれる。

とはいえ、中国でも雑誌を買うよりネットメディアを利用する人が多い。このため、近年は誌面にＡＲ（拡張現実）技術を組み合わせ、グラビアに載っているモデルの別の服装やポーズなどをスマホで見られるものも増えている。工夫しだいでは、メイクや着回しの実例を見せる場として、まだまだファッション誌の需要はありそうだ。

人気の女性ファッション誌

日本	韓国	中国
「リンネル」 「sweet」 「otona MUSE」	「CēCi」 「InStyle」 「ELLE Korea」	「昕薇」 「紅秀」

出典：PR TIMES Inc.、K-Channel、Fashion-J週刊ファッション情報

ファッション・美容

06 ラグジュアリー市場

高級ブランド好きな東アジア人。オシャレでも世界に食い込む中国企業

コロナ下でも伸びる中国・韓国のオシャレ消費

国際的な調査機関のユーロモニターによれば、2018年の衣類や宝石、化粧品などのラグジュアリー商品の市場規模で、日本はアメリカに次ぐ世界2位、2919億9300万ドル（約3兆1700億円）もの金額が費やされている。世界3位は人口大国の中国。4位と5位は、シャネルやグッチなど有名ブランドが多いフランスとイタリアだ。韓国も8位とベストテンに入っている。

2020年の新型コロナウイルス流行以降も、中国と韓国ではネット通販によるラグジュアリー消費が伸びている。とくに、中国で1990年代生まれの「90后」と呼ばれる世代は、高級ブランドを愛好する女性が多く、コロナ禍で外出の機会が減っても、SNSや動画配信でオシャレのアピールに余念がないようだ。

欧米企業に迫る清帝国の時代からの老舗

世界のラグジュアリー企業の売上（２０１９年度）をみると、上位はフランスのＬＶＭＨ（モエ・ヘネシー・ルイ・ヴィトン）や、アメリカの化粧品メーカーのエスティローダーなど欧米の会社が優勢だ。しかし、香港の宝飾品メーカーである周大福ジュエリーも8位に食い込んでいる。

中国本土の会社では、上海の宝飾品メーカーの老鳳祥《ラオフェンシャン》が世界16位にランクイン。老鳳祥は日本ではそれほど知名度がないが、１８４８年創業の老舗《しにせ》で、海外にも多くの店舗を展開し、その製品は竜や鳳凰などをかたどった東洋風のデザインが多い。日本の資生堂グループは15位で、日本と中国の企業が肩を並べて競い合っている。

また、韓国のＭＣＭも世界65位にランクインしている。同社のアクセサリーは、K-POPの人気グループＢＩＧ《ビッグ》ＢＡＮＧ《バン》のメンバーも愛用している。

日本	韓国	中国
約3兆1700億円 （世界2位）	約1兆3200億円 （世界8位）	約2兆7700億円 （世界3位）

出典:『朝鮮日報』(2019年5月9日付)ほか

EAST ASIA REPORT 01
北朝鮮・台湾のファッション

～北朝鮮はミニスカ禁止～

世界に広く輸出されている中国製の衣類には、人件費の安い北朝鮮で製造されたものがふくまれているといわれる。その北朝鮮は独裁体制なので、ファッションに制約が多い。髪を染めていたり、女性が町中でミニスカートをはいていたりすると、それだけで糾察隊《きゅうさつたい》と呼ばれる風紀取り締まり組織に処罰されることもあるという。

～台湾の民族衣装は南国風～

熱帯に位置する南部の高雄などでは、冬期以外はTシャツに短パンで過ごす人も多い。漢服と別に台湾在来の先住民が着る東南アジア風の伝統的な衣服もある。日本のファッションやサブカルチャーの影響も大きく、2020年にはアニメキャラクターのコスプレイヤーとして人気の頼品妤《ライピンユィ》が国会議員に当選し、話題を呼んだ。

食

データ02

日本・韓国・中国の
グルメ

「味のクロスオーバー」が進む東アジア料理

おやつからファストフード、居酒屋メニューまで、食文化は国境を越えて混ざり合いながら変化している。

● 世界に広がる和食文化

日本は米の自給率こそ100％近いものの、肉類や魚介類、果物など、多くの食材を輸入に頼っている。しかし、寿司や天ぷら、そば、調味料の味噌やしょうゆなどの「和食」は、欧米ではヘルシーなメニューと考えられ、2013年にユネスコ（国際連合教育科学文化機関）の世界無形文化遺産に登録されている。そして和食レストランは海外にも進出している。

２０１９年に韓国で大規模な日本製品の不買運動が起こり、レストランチェーンからビールメーカー、チーズや調味料まで、食品企業が巨額の損失を被《こうむ》った。だが、逆にいえば、それだけ韓国にも日本の食品が多く受け入れられていたということだ。

日本でも多くの韓国料理店が営業しており、マッコリやチヂミなど、韓国の酒や料理はめずらしくなくなっている。

また近年は、日本でも中国人が経営する本格的な中華料理店が増えた。東京や大阪のような大都市圏では、簡体字の中国語でメニューが書かれた在日中国人向けの店舗も少なくない。近隣国の食文化がより身近な存在になった。

ロッテリアとチキン店だらけの韓国

韓国の伝統的な食べ物といえば、キムチやナムル、チゲ、焼肉などがよく知られている。またファストフードは、ロッテリアが代表格だ。各種のハンバーガーに加えて、イカやチーズなどの揚げ物、あずきやフルーツを盛った韓国風かき氷のピンスなど、日本ではあまり見かけない独自のメニューも多い。

ロッテグループは2020年に死去した在日韓国人の辛格浩《シンギョクホ》（日本名は重光武雄《しげみつたけお》）が創業し、韓国では食品のみならず百貨店や建設業、アミューズメント施設も運営する大財閥となっている。

そして、近年の韓国ではフライドチキンが国民食ともいわれる。全国のチキン店は2019年で9万店近く、全世界のマクドナルド店舗数の2倍以上もある。

BBQチキン、キョチョンチキン、トゥルドゥルチキンなど、揚げ方や味つけの異なるさまざまなチェーン店がある。ただ、店舗オーナーになるのは失業したり会社を中途退職したりして、大手チェーンのフランチャイズ傘下に入った人が多い。

実際に年間6000店以上のチキン店が開業するが、競争がきびしく、それ以上の数の閉店が相次いでいるといわれる。文字どおりきびしい〝チキンレース〟となっているようだ。

食

日本式のカレーやラーメンが人気の中国

日本でも人気の高い中華料理は、広大な中国各地の食材や食習慣を取り入れて発達してきた。餃子や饅頭はもともと北方の満洲族の料理で、内モンゴルの遊牧民は羊肉を好んだ。上海料理は魚介類を多用し、南部の四川料理はスパイシーな味つけをするなど、地域ごとに個性がある。

多様な食文化を取り入れてきた中国では、「日式」と呼ばれる日本風料理も人気だ。これは純和風という意味ではなく、カレーライスや、ラーメンなど、日本でアレンジされた大衆的料理のことだ。日本の熊本で創業したとんこつ味の味千ラーメンは、中国各地で約600店を展開している。

伝統的な中華料理の調理法は、食材をきちんと加熱する場合が多いが、近年はサラダや刺身のような生食できる調理法も広まっている。

ただ、食材の殺菌や洗浄が不十分で感染症になる事例もあるという。4000年の歴史を持つ中華料理は、今も試行錯誤しながら進化し続けているのだ。

グルメ

01 食の安全

中国では衛生管理が大幅改善？日本・韓国の食品にも危険性はアリ

危険な食品を売ったら年収の10倍もの罰金

２００８年に、中国製の冷凍餃子を食べた人が食中毒を起こした事件が大きく報道された。日本人にとって中国から輸入される食品といえば、残念ながら危険な化学物質や農薬の混入、不衛生な環境での生産・加工といったイメージが根強い。

ところが、イギリスの週刊新聞「エコノミスト」の調査部門であるエコノミスト・インテリジェンス・ユニットが発表した「世界食品安全指数」（２０１９年度版）では１１３カ国中、日本が21位、韓国29位、中国35位と、中国は意外にも上位だった。

冷凍餃子の事件後、危険な商品を輸出すれば悪評で貿易の利益を損なうことや、国内での消費者意識の高まりを受けて、中国共産党は食品衛生の検査基準を改善したようだ。２０１９年には、食品安全基準の違反者は最大で年収の10倍もの罰金を

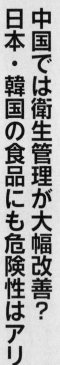

科すという法律が施行されている。

ネットで拡散された異物混入事件

「世界食品安全指数」で中国より下位の国は中東やアフリカ諸国が多数で、日本に輸入される食品は少ない。ただ、韓国から大量に輸入されている冷凍のカニや貝などの魚介類から大腸菌が検出された事例や、韓国海苔に危険性のある合成着色料が使われているケースもあったという。

もちろん、日本国内でも問題は起こっている。２０１４年、カップ焼きそばの「ペヤング」に害虫が混入していた事件がネットで拡散されて話題になった。メーカーは即座に全商品の生産を停止し原因究明をはかり、再発を防ぐため容器の改良などを行なった結果、売上が回復した。

食の安全に関する問題はすぐにネットで炎上してしまうので、企業の対応や情報公開はスピードアップしているといえる。

出典:The Global Food Security Index (GFSI)

グルメ

02 野菜

鍋に、キムチに、浅漬けに……。日・韓・中で愛される白菜

白菜生産量だけは世界ランキングに登場する韓国

たまねぎ、きゅうり、トマトなど、多くの野菜の生産量の世界トップは中国で、続いてインド、ロシア、アメリカといった農業大国が上位を占める。なかでもキャベツ類は、1位の中国が約3319万トン、2位はインドだが、3位は意外にも韓国で約253万トン。これは、日本の約138万トンより約1・8倍も多い。

じつは、この統計にはキャベツ類に白菜がふくまれている。韓国で突出して生産量が多いのは、国民食ともいえるキムチのためだ。2020年の韓国のキムチの輸出額は1億4451万ドル（約150億円）におよんだ。輸出先の約49%は日本だが、新型コロナウイルスの流行で免疫力を高める発酵食品への注目が高まり、アメリカ、台湾、香港、オーストラリアなどでも売上を伸ばしているという。

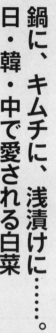

町中にそびえ立つ「白菜の像」

日本も、白菜をふくむキャベツ類の生産量は世界で7位。鍋料理や漬物で定番の白菜は、中国大陸の北部が原産で、明治時代後期の日清戦争・日露戦争のときに、出征した兵士が持ち帰って広まった。

白菜の故郷である中国の北部でも、漬物にするほか、豚肉や羊肉、魚介類などといっしょに煮込む料理が多い。中国から韓国に輸出されるキムチも非常に多く、韓国では国産キムチと安価な中国産キムチが市場を奪い合っている。

なお、「白菜」という語は、中国語で豊富な富を意味する「百財」と発音が通じるため、白菜は縁起物とされている。山東省や河北省などには、町中に高さ数メートルもある白菜のモニュメントがある。日本における稲荷神社のキツネや信楽焼《しがらきやき》のタヌキのようなイメージかもしれないが、巨大な野菜の像が建っているのは、なんとも不思議な光景だ。

出典:FAOSTAT Production、総務省統計局『世界の統計　2021』

グルメ

03 肉の消費

世界でいちばん豚肉を食べる中国人。人口が増えて肉の輸出国から輸入国に

牛の5倍、羊の3倍も豚を飼う本国

「どの肉を食べるか」は、文化圏によって異なる。家畜の頭数をみると、EU（ヨーロッパ連合）圏や南北アメリカ大陸は豚より牛が多く、豚を宗教的にタブー視するイスラム圏は羊が多い。東アジアは圧倒的に豚だ。中国は豚の飼育数がダントツの世界1位で、じつに4億4158万9000頭。牛の数の約7倍、羊の約3倍だ。

そして世界の豚肉の約半分は中国で消費され、その量は年間約5481万トン。日本は約274万トンなので、その20倍だ。人口は日本の半分以下である韓国も約193万トンとかなりの消費量で、世界のトップテンに入る。中華料理は回鍋肉《ホイコーロー》や水煮肉片《シュイジューロウピエン》など豚肉を使うメニューが豊富な一方、日本で食べられる韓国料理は牛の焼肉というイメージが強いが、豚肉をゆでたポッサムも人気が高い。

韓国で羊肉がじわじわと人気に

中国は、鶏と羊の飼育数でも世界1位だ。とくに鶏は48億7700万羽で人口の3倍以上にもなる。それでも食生活が豊かになって肉や卵の消費量が急増し、今や鶏肉も南米などからの輸入が増えている。

また羊は、中国ではおもに内モンゴル、ウイグル、チベットなど、もともと遊牧民が多かった草原や高原地帯で飼育されている。食用の羊肉を使った火鍋や串焼きは、北京や上海などの都市部でも人気だ。日本で知られているのはジンギスカン鍋くらいだが、韓国ではバーベキューのような羊肉串が広まりつつある。

ちなみに、韓国の伝統料理のひとつだった補身湯《ポシンタン》（犬肉鍋）は動物愛護精神の高まりで衰退しつつあり、日本も商業捕鯨が制限されたことで鯨肉を使った食品は大幅に減った。食文化も時代とともに変化を重ねているのだ。

豚肉の消費量(2017年)

日本	韓国	中国
274万1000トン	192万6000トン	5481万2000トン

出典:アメリカ農務省(USDA)

グルメ

04 酒類

世界のビールの5分の1は中国で消費！さまざまな酒を使ったカクテルも登場

10年で発泡酒の消費が半減した日本

仕事帰りの一杯やちょっとした宴会など、もっともよく飲まれるお酒といえばビールだろう。その消費量は、中国が２００３年から連続して世界トップで、年間約３９３６万キロリットルは世界市場の21％を占める。日本は年間約５１１万キロリットル、韓国は約２０１万キロリットルだ。ただ、ひとりあたりの消費量では３国とも世界では30位以下で、上位はヨーロッパの国々だ。

日本の酒類の消費量は、２００７年にはビールが約37％、続いて発泡酒が約17％を占めたが、10年間で発泡酒の消費量は半減し、代わりにリキュール類が倍以上に増えて約26％を占める。また、ほかの飲み物で割る原料用アルコール・スピリッツ類の消費量が5倍になった。酒の好みも多様化していることがうかがえる。

韓国では「野いちごのお酒」も人気

韓国の酒といえば、白く濁った醸造酒マッコリや焼酎の「ジンロ」が有名だ。近年は女性を中心に果実酒もよく飲まれ、野いちごからつくるポップンジャが人気だ。韓国では酒席で、ビールにアルコール度の高いウイスキーや焼酎を混ぜた「爆弾酒」を作って飲むことがあるが、果実酒を使ったカクテル風のアレンジも増えているという。

西洋文化が広まり、富裕層も増えた中国ではビールより高級感のあるワインを好む人が増えているが、ひとりあたりの消費量はまだ日本の半分、アメリカの8分の1程度だ。中国には地域ごとのお酒がたくさんある。茶色い紹興酒《しょうこうしゅ》の女児紅《じょじこう》、無色透明な白酒の「五粮液《ごりょうえき》」などは人気が高い。五粮液は洋酒のジンやウォッカのように飲まれ、北京や上海では白酒を使ったさまざまなカクテルを出す店もある。お酒の味わい方が多様化しているのも3国共通である。

出典:「キリンビール大学」2018年(世界主要国のビール消費量)

グルメ

05 ラーメン

ひとりあたりの消費量が群を抜く！インスタントラーメンが大好きな韓国人

とにかく辛いラーメンが好きな韓国人

「麺」という語は、もともとの中国語では小麦粉を練って作った食品全般をさす。代表的なものはラーメンだが、もっとも世界的に普及したインスタントラーメンは、台湾生まれの安藤百福（日清食品創業者）によって広められた。

現在、世界のインスタントラーメン消費は推計で年間1036億食におよび、この4割にあたる402億食以上が中国で消費されている。日本は約58億食、韓国は約38億食で、ひとりあたりの消費量では韓国が世界的にも群を抜いている。

そんな韓国のインスタントラーメンの代表格といえば、真っ赤な唐辛子スープを使った「辛《シン》ラーメン」だ。韓国風味噌スープの「安城湯麺《アンソンタンミョン》」などの商品もあるが、キムチ文化の影響かハバネロラーメンなど辛い味つけのものが多い。

中国ではインスタントラーメン専門店が登場

中華料理は地域によってさまざまな種類があるが、中国のインスタントラーメンも多様で、市場トップのメーカーである康師傅《こうしふ》の「紅焼牛肉麺《ホンシャオニュウロウメン》」、春雨風の「酸辣粉《サンラーフェン》」、チンジャオロース風味の「東北乱燉面」などの商品がある。

中国のカップ麺には、ほぼプラスチック製のフォークが入っているので、外で食べるのに便利だという。近年は、インスタントラーメンを豪華な具材とともにオシャレに盛りつけて出す泡面小食堂という店も人気だ。

日本でもラーメンのスープは、しょうゆ、とんこつ、塩、味噌など多様だが、韓国と中国では、日本ではあまり見かけないビーフ味のほか、羊肉味もある。安価なインスタントラーメンは味つけや盛りつけをアレンジする余地が大きいので、今後は海外で意外な商品が生まれて日本に持ち込まれるかもしれない。

《インスタントラーメンの消費量(2018年)》

日本	韓国	中国
ひとりあたり 45.7食	ひとりあたり 76.4食	ひとりあたり 28.7食

出典:世界ラーメン協会(WINA)

グルメ

06 デリバリー

急速に広まるオンライン注文サービス。とくにスイーツや軽食を好む韓国と中国

「フードデリバリー先進国」の中国

今や飲食業で無視できない存在となっているのが、ウーバーイーツなどのネットを利用した宅配サービスだ。２０２０年には新型コロナウイルスの流行で外出を控える人が増えた結果、デリバリー利用者が急増することになった。

外食産業の売上に占めるデリバリーの割合を比較すると、日本は3％だが、韓国は10％、中国は8％で、韓国と中国は日本の約3倍も利用率が高い。

さらに、日本ではデリバリーのうちウェブやアプリを利用したオンライン注文が36％、韓国では27％だが、中国ではすでに63％におよんでいる。この数値は世界的にもトップレベルで、アメリカの57％、イギリスの54％より上だ。中国では外食チェーンの発達とネット注文の普及のタイミングが一致したのだろう。

中国では４億人がデリバリーを利用

日本では出前といえば、寿司やうどん、そば、丼もの、ラーメンといったメインの食事が定番といえるだろう。

韓国では、フライドチキンやゆで豚肉料理のポッサムのほか、ケーキやアイスクリームといったスイーツ類を宅配するチェーン店が人気だ。韓国のフードデリバリーアプリで最大手のＢａｅ《ベ》ｍｉｎ《ミン》は、海外にも進出し、ベトナムで事業展開をはじめている。

中国でのオンラインデリバリー利用者はじつに４億人で、年間の売上は６０３５億元（約９兆４４４８億円）におよぶ。人気メニューの上位はスイーツ類やドリンク、小《シャオ》吃《チー》と総称される餃子、焼売や饅頭などの軽食だ。ピザハットやマクドナルドなどの外資系ファストフードと国内の宅配業者との連携も進んでいる。やはり、自宅でも職場でも、好きな場所で食べられるのは大きな魅力といえるようだ。

《外食産業のフードデリバリー比率(2017年)》

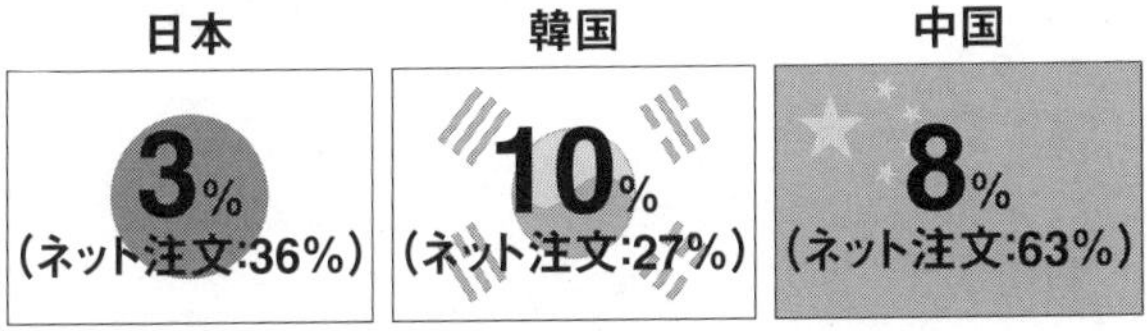

出典：NPD Japan, エヌピーディー・ジャパン調べ「外食・中食　調査レポート」

EAST ASIA REPORT 02

北朝鮮・台湾のグルメ事情

～北朝鮮のきびしい食料事情～

食料難が続く北朝鮮では、米にトウモロコシや雑穀をまぜたものを主食としている世帯が多い。

政府による公式な食料配給は、一般に1日600グラムなどと決まっているが、陰ではこっそり食料の転売も行なわれている。屋台や外食店もあり、油脂分を取ったあとの大豆をねり固めたものや、トウモロコシの粉を使った菓子などが人気だ。

～朝から屋台で食べる台湾人～

日本では愛知県の「麺はなび高畑本店」が台湾まぜそばの発祥とされているが、台湾では麺類ばかりでなく、丼物や点心などの屋台が発達している。屋台の揚げパンや肉まんで朝食をとる人や、3食とも外食ですませる人が多い。

あまりにも外食が普及しすぎて、台湾では家庭で料理をつくる人は少ないという。

データ03

日本・韓国・中国の住まい

場所、金額……快適なマイホームはどこ？

新たな土地や住宅を手に入れるのも、古い家を維持するのも、それぞれに大変さがある。

● コロナ禍で再編される住環境

日本は２００８年をピークに人口減少に転じ、過疎化が進む地方では空き家が増える反面、人口の東京一極集中が進んでいた。

こうしたなか、２０２０年には新型コロナウイルスの流行によって、大都市のオフィス街に人が密集するライフスタイルが大きく見直される機会が訪れた。自宅で仕事をするテレワークが増加し、テレワーク用の部屋を

住

備えた住宅も人気を集めている。

また、かねてより地方では、都会を離れたUターン就職や定年退職後の田舎暮らし、空き家をイベントスペースや民宿に転用する試みが行なわれているが、コロナ禍《か》がこの動きを後押しする可能性も高い。

とはいえ、地方では新たな移住者が昔からの地元住民のルールや人間関係にうまくとけ込めずにトラブルになったり、古い民家や広大な土地の持ち主が亡くなったあと、正当な相続者がわからないため、せっかくの土地や建物が活用されずに放置されたりしてしまう事例もあるという。

人口減少とコロナ禍で郊外や地方に注目が集まるなか、新しい快適な住環境を整備するための課題は少なくない。

大ヒット映画が描いた住宅事情の光と影

韓国の住環境は、日本よりもコロナ禍の影響が深刻だ。首都ソウルだけで974万人、その近郊地域もふくめれば総人口の半分が集中し、過密のために一戸建ての家ではなくアパートやマンションの住人が非常に多い。人が密集するソウルでは、コロナ禍で景気が後退しても地価は高騰を続けている。

２０２０年に世界的にヒットした映画『パラサイト　半地下の家族』で描かれたように、韓国の都市部では大豪邸に住む富裕層がいる一方、陽あたりの悪い半地下の住宅に住む貧困層が数十万人もいる。こうした半地下の住宅は、１９７０年代の軍事政権時代につくられた防空壕を転用したもので、北朝鮮との対立の副産物ともいえる。

韓国の賃貸契約には「伝貰《チョンセ》」という独自のシステムがある。入居時に住宅価格の７割前後の保証金を大家に納め、大家はこれを資産運用に回し、入居者が出て行くときには全額返すという制度だ。最終的にお金が返ってくるのはありがたいが、保証金は相当な金額になるので、普通に毎月家賃を支払う人も多い。とくに近年は、若い世代の貧困化が進み、賃貸でもまともな住宅に住むのは容易でない人が増えているという。

土地を国から借りている中国人

ひところ日本では、中国の業者による不動産の購入が増えていることが

住

大きく報道された。共産党政権の中国では、基本的に土地は国有で、立派な家を建てても、政府の都合で転居させられる事態が常にありうる。中国の富裕層にとって、自由に購入できる海外の土地は一生モノのお宝だ。

中国ではかつて、国営企業の従業員などに政府が安価な公営住宅を提供していたが、現在は住宅売買の自由化が進んだ。もっとも、マイホームを手に入れるのが大変なのは日本や韓国と同様だ。

近年は「家持ち」を結婚相手への条件に挙げる女性が増え、一族の存続のため、結婚を控えた男性の親族が総出で家の購入を助けるという、涙ぐましい話も少なくない。

中国でも、新型コロナウイルスの流行が住宅事情に影を落としている。北京をはじめ多くの都市部では、地方から働きに来ていた労働者が地元に帰り、ガラ空きの住宅が増えつつある。

ところが、上海では逆に、海外から帰ってきた留学生やビジネスマンが増え、不動産価格が高騰しているという。コロナ禍を契機に人口の大移動が起こっているようだ。

住まい

01 住居費

都心の高級マンション賃料はどこも高い！香港は東京の1・6倍以上

ソウルは1LDKが港区の半分

不動産の相場は、一戸建てか賃貸マンションやアパートか、立地は都心か郊外か、築年数はどれくらいかなど、さまざまな条件があるので単純な比較はしにくい。

大まかな目安としてマンションの賃料をみると、日本屈指の高級住宅地である東京都港区を100とした場合、韓国のソウルは52、中国の北京は66・5、上海は71・4。ただし、香港は東京より高く164・8となる。港区では1LDKの賃料が20〜25万円なので、これに当てはめて計算すると、ソウルは10〜13万円、北京は13〜17万円、上海は14〜18万円。香港はなんと33〜41万円だ。

家賃が極端に高い香港では、1部屋を複数の世帯で分けて使用したり、家族で2段ベッドを活用したりしてスペースをやりくりしている家が少なくないという。

北京は賃料が10年で2倍近くに

２０１０年から10年間のマンション賃料をみると、東京は約７％の増加、ソウルは約２％の減少だが、マンションの販売価格はいずれも10％以上値上がりした。韓国の文在《ムンジェ》寅《イン》政権は不動産価格の鎮静をはかってマンションの購入規制を導入したが、かえって購入ラッシュが激化している。

経済成長が進んだ中国の賃料は、北京で約85％、上海で約77％値上がりした。もともと賃料が高かった香港は、伸び率が約39％と北京の半分以下だ。中国では21世紀に入ってから住宅ローンの頭金が段階的に引き下げられる一方、大都市では住宅用の土地の供給が減少し、２０１６年以降は賃料・販売価格ともに上昇している。

日本ではバブル経済が崩壊した１９９０年代以降、住宅ローンに苦しむ世帯が増えたが、同様の事態が韓国、そして中国でも起こりつつあるのだ。

1LDKのマンション賃料(2019年)

日本	韓国	中国
20～25万円(東京都港区)	10～13万円(ソウル)	13～17万円(北京) 14～18万円(上海) 33～41万円(香港)

出典：一般財団法人 日本不動産研究所 「第12回　国際不動産価格賃料指数」をもとに算出

住まい

02 過密と過疎

東京とソウルは人口大国の中国の都市より過密

韓国は２大都市に人口の約25%が密集

「東京一極集中」が進む日本では、東京都23区に約９６５万人、人口２位の横浜市に約３７５万人が住んでいる。この２都市だけで総人口の１割強を占める。その反面、２０４０年までに全国で８９６の市町村が人口減少のため消滅の危機にある。とくに東北地方の秋田県、福島県、青森県など年間約５%も人が減っている。現在の日本の都市人口比率はじつに約92%。１９８０年は約76%、２０００年には約79%なので、21世紀に入って急速に都市部の過密化と地方の過疎化が進んでいる。

韓国の都市人口比率は約81%で、１９８０年は約57%だったが、経済成長が進んだ１９９０年代から急増した。現在、首都ソウルの人口は約９７４万人、２位の釜《プ》山《サン》は約３５０万人。合わせればなんと総人口の約４分の１という「二極集中」だ。

北と内陸から南部沿岸に人口が移動

1980年の中国の都市人口比率はわずか19%だった。現在は約61%と3倍増だが、日本や韓国よりは低い。

中国で人口がもっとも多いのは上海で、約2415万人。以下、北京、広州、天津、深圳《しんせん》と続く。これらの都市の人口はいずれも1000万人以上となっている。ただし、この5位までの都市の人口を全部足しても7882万人で、総人口の約18分の1にしかならない。地域別でみて人口が増えているのは、沿岸部の浙江省《せっこうしょう》、広州市と深圳市のある広東省《かんとんしょう》などだ。とくに、深圳は1980年の人口が約3万人しかいなかったが、経済成長とともに急増している。逆に、近年大きく減っているのは東北地方の安徽省《あんきしょう》、黒竜《こくりゅう》江省《こうしょう》、南部で内陸の貴州省《きしゅうしょう》、四川省などだ。

このまま中国で地方の人口減が進めば、十数年後には、無人の廃墟と化した小都市が増えるかもしれない。

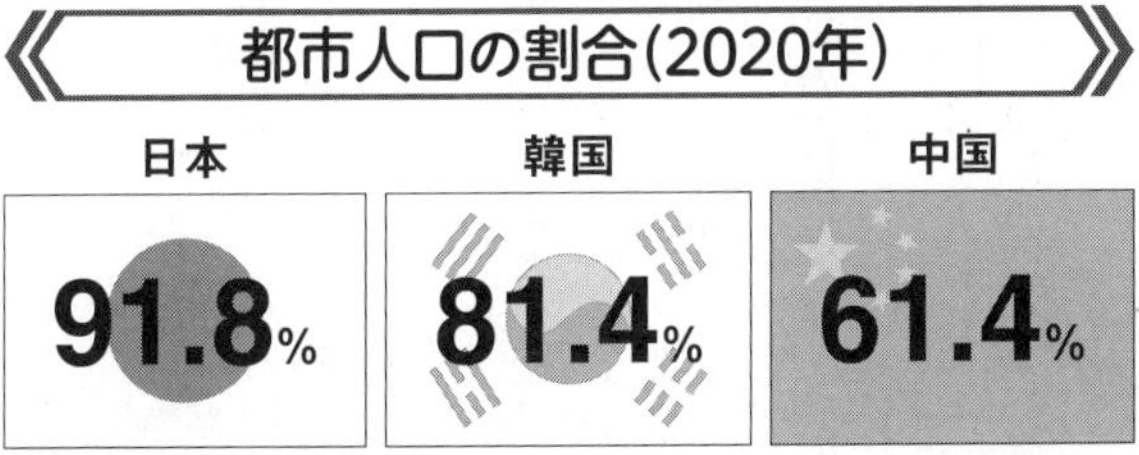

出典:『世界国勢図会　2020/21』(矢野恒太記念会)

住まい

03 住みたい町

世界では東京より大阪が高評価。北京・上海よりも人気の都市とは？

都心の真ん中より「ちょい郊外」が人気

不動産情報サイトの「SUUMO」では、日本の首都圏で人気の都市といえば、東京都の恵比寿と吉祥寺、神奈川県の横浜が上位の常連だ。いずれもオシャレな街で、横浜と吉祥寺は都心から適度な距離といえる。関西では、大阪市内よりも兵庫県の西宮市が人気だ。なお、イギリスの週刊新聞「エコノミスト」が発表した2019年の世界の住みやすい都市ランキングでは、オーストリアの古都ウィーンがトップで、日本の大阪が4位、東京は7位だった。

韓国で人気の街といえば、ソウル市内で漢江《ハンガン》の南に広がる江南《カンナム》区だ。もともとソウルでは漢江の北が古くから発展していたが、1970年代以降に開発された江南は、今や大企業の本社と高級住宅がずらりとならぶ地域となっている。

離島にあこがれる韓国の都会人たち

韓国で2番目に人気なのが、済州島《さいしゅうとう》の南部の西帰浦《ソギィポ》市と、北部の済州市だ。

朝鮮半島の南西に浮かぶ済州島は、19世紀まで朝鮮半島と人の往来がほとんどない土地だったが、1960年代から開発が進み、現在は島全体が観光地と化している。温暖な気候で海も美しく、日本の沖縄のようなイメージだ。ただ、あくまでリゾート地としての人気で、長期的に定住する人は少ないようだ。

住みたい町・人気の理由

街なみがオシャレで、観光スポットもたくさん。電車1本で都内まで出られるのもイイ!

交通の便がとにかくいい! 車がなくても生活できるわ。自然も楽しめていい場所よ。

◎成都市《チュンドゥ》
昔から製造業が盛んで、雇用の成長率が1位。起業熱も高まっているのよ。
出典:SUUMO、『中央日報』日本語版、AFP通信「中国の住みやすい都市ランキング、首位は四川省成都市」2019年3月5日

中国の成都市郊外には、博物館や娯楽施設を備えた「SFの街」が建設される計画もあるという。

『三国志』で有名な古都が近代化して人気

中国でも、実際に人が多い都市と人気の都市は必ずしも一致しない。上海師範大学や不動産会社による調査では、住みやすい町の1位は内陸の四川省に位置する成都だ。3世紀の『三国志』の時代、蜀《しょく》の首都となったことで知られる成都は、今やIT企業が集まる近代的な都市となっている。古い史跡や自然も豊富で、麻婆《マーボー》豆腐《どうふ》や棒々鶏《バンバンジー》など、人気の四川料理もあり、快適に暮らせるようだ。

2位は広東省の深圳だ。香港と向かいあう位置にあり、キャッシュレス化、監視カメラによる徹底した防犯体制、シェアサイクルなど、最新システムの実験場ともいえる。20世紀後半から急速に発達した新しい都市なので町なみもきれいで、店員の接客態度や市民のマナーも比較的よい。しかし、ハイテク化しすぎて常に市民が監視されているので少し落ち着かないかもしれない。

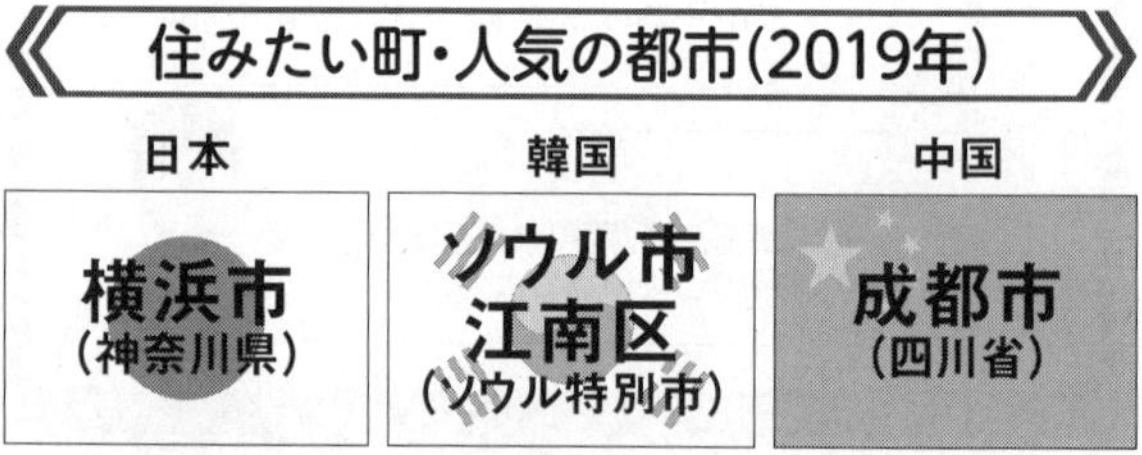

出典：SUUMO、『中央日報』日本語版ほか

住まい

04 人口密度

残された空間は地上にはない！ソウルに急増する高層マンション

日本より韓国のほうが人口密度が高い

ラッシュアワーの交通機関を見ていると、東京など大都市の過密ぶりがよくわかるが、日本全体の人口密度は高くない。1平方キロメートルあたり約333人で、ひとりあたりのスペースは約40×73メートルである。もっとも、日本の国土面積の約3分の2は山林地帯で、農村地帯の人口は減少し、9割が都市部に住んでいる。

韓国の人口密度は日本より高く、1平方キロメートルあたり約519人だ。国土が広大な中国は約146人となっている。ところが、中国の内陸はゴビ砂漠やチベット高原など居住しにくい土地が大部分で、都市を築くのに適した平原はたった12％しかない。単純計算では、中国の平野部の人口密度は日本の2倍以上となる。なお、香港は1平方キロメートルあたり6745人で、日本の約20倍だ。

タワーマンションだらけのソウルは防災に不安も

日本に限らず人口過密の大都市には数十階建てのタワーマンション（タワマン）が林立している。韓国で総人口の約５分の１が集中するソウルは、タワマンだらけだ。大金持ちのセレブは高級住宅街のソウル江南区に一戸建てを構えるが、エリートビジネスマンはセキュリティがしっかりしている高級マンションを好む。ただ、高層用の放水車やはしご車が足りておらず、火災への対応には不安がある。

日・韓・中の高級住宅街の例

出典：ランクワン「全国の高級住宅街ランキング人気TOP30【2020最新版】」、フエル「ソウルの高級住宅街『江南《カンナム》』スタイルを徹底調査」、ラグジュアリーエステート

無計画なマンション建設でゴーストタウンに

昔から中国では、農耕に適した土地が限られ、先祖代々の土地に住むより転居をくり返す人が多かった。しかし、経済成長を背景に21世紀に入ってからは住宅バブルが発生。北京や上海などの大都市ばかりでなく、内陸の地方都市でも、不動産投資目的で地域の人口と不釣り合いな大型マンションが建てられた。しかし、入居者がなく「鬼城《きじょう》」と呼ばれるゴーストタウンと化しているところも多い。

共産党政権下では土地は国有で、不動産は借地権しかなく、政府の都合での立ち退きもよくあるが、その可能性が低そうな土地なら遠慮なく建てる方針のようだ。

2020年以降は、新型コロナウイルス流行による景気後退の影響を受け、都市部でも新築マンションの入居者が集まらなくなる事例が多発しているという。コロナ禍が中国の不動産バブルを終わらせる可能性もありそうだ。

人口密度(2018年)

日本	韓国	中国
332.77 人/km²	**519.24** 人/km²	**146.33** 人/km² (香港 6745.49人/km²)

出典:IMF – World Economic Outlook Databases

住まい

05 家具と内装

中国でも韓国でもイケアが人気。国ごとに異なる部屋のこだわりポイント

モデルルームで理想の部屋を考える人々

日本・韓国・中国では、内装や家具も国の地域差が小さくなってきた。家具量販店として知られるスウェーデンのＩＫＥＡ《イケア》は、世界に３６７店舗を展開し、日本では9店、韓国は2店、中国は25店が営業している。イケアの強みは、魅力的なモデルルームでライフスタイルに合わせたさまざまな部屋を提案している点だ。

日本の家具メーカーであるニトリも中国に37店（２０１９年2月現在）あるが、先に出店したイケアの人気に押され、売上・知名度ともに苦戦している。

韓国ではソウルからやや外れた光明《クァンミョン》市と高陽《コヤン》市にイケアが出店しており、いずれも開店直後は買い物客が殺到しすぎて店舗側が対応しきれないなどのトラブルになった。店舗は2店しかないが、ネット通販の売上も好調だ。

3国に共通するこだわりは？

　伝統的な日本家屋は畳の部屋に座ぶとんをしいて座り、韓国は板張りの床に座るのが通例だが、中国では古くから椅子とテーブルが使われていた。

　韓国では儒教文化の影響で兄弟姉妹でも男女の部屋を分けるが、少子化の影響でこの習慣もなくなりつつあるようだ。中国は内装や必要な家具にも地域差がある。南部の上海などは住宅にベランダがあるが、北京は黄砂が飛ぶためベランダを設置せず、洗濯物を屋内に干す家が多い。

　国や地域ごとの違いはあるが、イケアやニトリで家具を選ぶ現代の日本人、韓国人、中国人には共通の課題がある。3国とも都市部の部屋は狭いので、空間を有効に使うための収納の効率を考慮しなければならない。日本のキッチンは料理道具を壁面にぶら下げ、台所の上にも下にも棚があるので、中国でもかなり高評価されているという。

イケアの店舗数(2019年)

出典：IKEA公式サイト、『中央日報日本語版』

住まい

06 冷暖房

エアコンか、床暖房か、ストーブか。夏より冬で分かれるお国事情

韓国のエアコン需要は日本の14分の1

住環境において3国で差があるのは冷暖房で、国ごとにこだわりがある。日本で年間に販売される家庭用エアコン（冷暖房兼用をふくむ）は推定965万台で、毎年、およそ13人にひとりの割合で新規購入や買い換えが行なわれていることになる。

一方、韓国は年間約67万台と、人口が日本の半分以下にしても、かなり少ない。韓国も夏の暑さは日本とあまり変わらず、冬のソウルは東京より約7度も平均気温が低い。そんな朝鮮半島では、昔からかまどの煙を床下に流して部屋を暖めるオンドルが使われていた。そのため、現在も冬はエアコンではなく温水や電気による床暖房が主流なのだ。ただ、オフィスや商業施設では業務用エアコンが使われ、年間約60万台で、日本の約87万台と大差はない。

中国北部では市が建物に暖気を供給

人口が日本の約10倍の中国も、家庭用エアコンの需要は香港をふくめてまだ年間約4272万台にとどまる。しかし、国外ではグリー（格力）、ハイアール（海爾《ハイセンス》）、ミデア（美的《びてき》）など、中国メーカーの製品が市場を席巻しつつある。

中国北部の吉林《きつりん》省、黒竜江省などは亜寒帯気候で、日本列島のように暖流の影響がないため極端に寒い。たとえば、ハルビン市は1月の平均気温がなんとマイナス20度前後だ。こうした寒冷地では、冬はエアコンよりストーブがよく使われ、公共の暖房施設から配管を通じて暖気が供給される建物も多い。

地球温暖化が進めば、夏の気温が高くなるばかりでなく、冬も海水が大量に蒸発するため日本の近隣は雪が多くなるとの予測もある。暖冬でも雪のため部屋にこもることが増えれば、空調は重要となるだろう。

出典：日本冷凍空調工業会「世界のエアコン需要推定」

EAST ASIA REPORT 03

北朝鮮・台湾の住宅事情

～公営団地が基本の北朝鮮～

北朝鮮では、基本的に政府が国民に住宅を支給する。このため、高層マンションだけでなく一戸建ての家も同じ間取りのものが多い。約287万人（総人口の約10分の1）が生活する平壌は、じつに63％がアパートに住み、一戸建てに1世帯で住んでいるのは11％しかいない。見つかれば罰せられるが、住宅の居住権を転売して稼ぐ人もいるという。

～人口は台湾北部に密集～

台湾では、平地の多い西部に主要都市と交通網が集中し、総人口約2400万人のうち、260万人以上が台北に住んでいる。台北の地価はほかの地域の2倍とされる。また、現在は台北の東部にある新北に住む人が増え、人口が400万人を超えている。東京に家が建てられず、隣接する千葉・埼玉エリアの新興住宅地に家を建てるような感覚かもしれない。

データ04

日本・韓国・中国の 健康・福祉

高齢者ばかりの3国で発生する数々の問題

少子高齢化による家族観や健康観の変化と、新型コロナ流行下の新しい生活様式が3国共通の課題。

●深刻化する「8050問題」

長寿国といえば聞こえはいいが、少子化が同時に進み、将来に大きな不安を抱える日本。近年は、老いた親の介護のため仕事を中途退職する人や、介護による過労で体を壊す人も少なくない。蓄えのないまま老後を迎える人も多く、今後10年のうちに1970～80年代生まれの「就職氷河期世代」の引きこもりが50代に達し、無職のまま80代の親と同居する「8050問題」が深刻化するといわれる。

高齢化だけでなく、健康や福祉の面で過去の常識が通じないことも多い。たとえば、日本の肥満率は欧米より低かったが、貧困家庭ではファストフードのような低価格だが高カロリーな食事に頼り、太りやすい子どもが増えている。医療や福祉の現場は、新しい常識への対応が求められているのだ。

2020年から世界的に猛威をふるう新型コロナウイルスの感染率は、2021年3月段階でアメリカでは人口100万人あたり約9万人、イギリス、フランスは約6万人なのに対し、日本は約3500人と比較的少ない。日本をふくめ東アジアの感染率が低いのは不幸中の幸いといえるが、ワクチンの増産と接種の拡大など今後の課題は少なくない。

お年寄りを敬う精神がすっかり後退

海外から、エステや鍼灸などの施術を受けるためだけに韓国を訪れる観光客は少なくない。しかし、韓国に住んでいる人たちは必ずしも健康意識が高いわけではない。

儒教文化が残る韓国では、一族の存続を重視する意識と、高齢者を敬う意識が強かった。だが、ここ20年ほどで学歴偏重の競争社会となり、教育コストが激増。少子化が進み、老いた親を養う余裕のない世帯も増え、敬老精神がすっかり衰えてしまった。

韓国では、全国民を対象とした年金制度が導入(1988年)されてから、まだ30年ほどしか経っていない。国民年金を受給している高齢者は42%で、しかも受給者の3人に2人は1カ月の受給額が50万ウォン(約4万7200円)以下だという。韓国は自殺率が高く、とくに貧困を苦にした高齢者の自殺が多い。

少子高齢化と貧困による諸問題は日本も抱えているが、短期間で経済発展をとげた韓国は、より事態が深刻だ。

食の欧米化で糖尿病が急速に増加

2020年の新型コロナウイルス流行下、一党独裁体制の中国は、強硬な都市封鎖、公的機関による感染者やその接触者の個人情報の把握、感染者の行動の監視を徹底して感染の封じ込めをはかった。とはいえ、中国の農村部では、医療や福祉がまだ遅れている。

近年の中国は、共産党の指導で衛生環境を改善しつつあるが、食生活の変化や運動不足のため糖尿病患者が増え、その罹患者はなんと3億人ともいわれる。このほか心臓病や脳血管障害などの罹患者も増えている。本来、慢性的な生活習慣病は先進国で多く見られるものであり、中国は悪い意味でも、先進国の日本や欧米に追いつきつつある状態なのだ。

急速な少子高齢化と、家族の絆をあてにできない状況も、日本や韓国と同様だ。とくに中国は、２０１５年まで人口抑制のため「一人っ子政策」を行なっていたため、ひとりしかいない息子や娘の負担が大きい。子どもに先立たれ、頼る相手がなくなった高齢者は「失独老人《シドゥール》」と呼ばれる。

中国人民政治諮問会議の調査によれば、こうした家族によるケアが受けられない高齢者の50%は、高血圧や心臓病などの慢性疾患を患っているといわれ、失独老人のための医療保険や介護サービスの充実が大きな課題となっている。

健康・福祉

01 平均寿命

すでに4人にひとり以上が高齢者の日本。介護サービスは新ビジネスのチャンス

高齢化で世界最先端を行く日本

日本では「人生100年時代」といわれるようになってきた。現在の日本の平均寿命は84歳で、韓国は83歳、中国では76歳となっている。

ただ、衰弱や認知症の影響などがなく健康に生活できる「健康寿命」は、これより7~10歳ほど低い。日本では73歳、韓国では73歳、中国では69歳だ。つまり、人生最後の数年間は、介護を受けたり施設に入ったりすることになる。

高齢者の増加にともなう医療・福祉関係の負担増は3国に共通する課題だが、日本は深刻だ。2019年の段階で、人口に占める65歳以上の割合は約28・4%と世界でもダントツで、すでに4人にひとり以上。韓国はまだ約14%(2018年)、中国は約12%(2018年)と、欧米の主要な先進国より低いが、近年は増加傾向にある。

年金支給年齢が上がる日韓

日本では、何十年も前から急速な少子高齢化のため、将来的な年金制度の維持が懸念されてきた。老齢厚生年金の支給年齢は60歳からだったが、段階的に65歳へと引き上げられ、希望すれば70歳以上で受け取ることも可能となった。

韓国も同様の政策を進めており、2018年時点で年金の受給開始は62歳。2033年には65歳に引き上げられる予定だ。中国は現在、受給開始が60歳からだが今後はわからない。

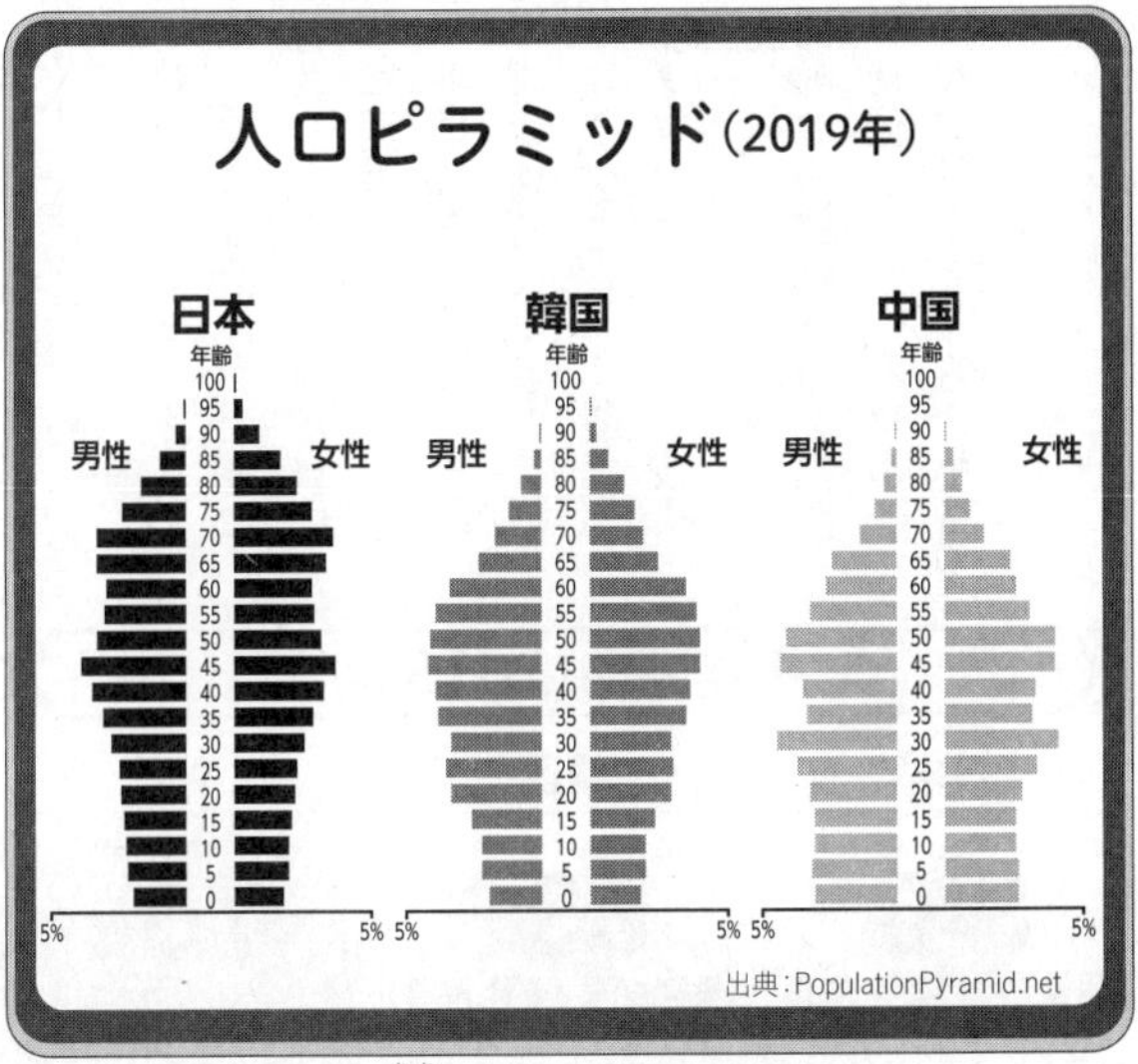

出典：PopulationPyramid.net

2021年1月時点で、日本の田中カ子《かね》という女性が118歳で世界最高齢。

AIやロボットが高齢者をサポート

高齢者とその家族向けのサービスは、新しいビジネスのジャンルになりつつある。中国では、地方自治体や企業による「時間銀行」という考え方が普及してきた。体が自由に動く時期にボランティア活動などに従事した時間分に応じて、のちのち自分や親族が介護サービスを受けられるしくみだ。電子決済で大手の支付宝《アリペイ》は、誰が何時間ボランティアをして、どれだけの時間の貯蓄があるかを把握するため、仮想通貨の取引記録などに使われるブロックチェーン技術を活用している。

日本でも、ＡＩ（人工知能）で高齢者の健康状態を把握したり、階段の移動や荷物の運搬を補佐したりするロボットの開発が注目を集めている。今後も、免許を返納した高齢者のために自動運転の巡回バスなど、高齢化に対応した新しい技術産業が求められる。

平均寿命(2016年)

日本	韓国	中国
84歳	83歳	76歳
(男性 81歳 / 女性 87歳)	(男性 80歳 / 女性 86歳)	(男性 75歳 / 女性 78歳)

出典：総務省統計局『世界の統計　2019』

健康・福祉

02 出生率

人口減少は止まらない！世界平均を下回る日韓の出生率

世界的にも低い日本、韓国の出生率

人口1000人あたりの出生率（人）は、世界平均が約20人、先進国では約11人。日本と韓国は7人台と低く、中国は約11・9人で先進国の平均値と同レベルだ。

合計特殊出生率（15歳から49歳までの女性が一生のうちに産む子どもの数）は、世界平均が2・42（2018年、以下同）に対し、日本は1・42と世界202カ国で183位だ。中国でも1・69で、世界152位となっている。韓国はなんと世界最下位で0・98、世界で唯一、数値の上ではひとりを下回っている。

なお、日本の2008年の合計特殊出生率は1・37だったので、10年前と比較すると、わずかだが回復傾向にあるようにみえる。だが、2015年をピークに、ふたたび数値は下降の一途をたどっている。

韓国の親を苦しめる教育費

韓国の少子化の一因は、多額の教育費だ。日本では大学・短大・専門学校への進学率が男女とも60%台だが、韓国は男子の場合ほぼ100%、女子も80%以上におよぶ。

このため、幼児期から塾通いなどの費用がかさみ、韓国の新韓銀行による調査では、高校卒業までの教育費は平均8552万ウォン（約868万円）もかかる。日本では高校まで公立校ならば、約540万円なので、その1・6倍以上だ。

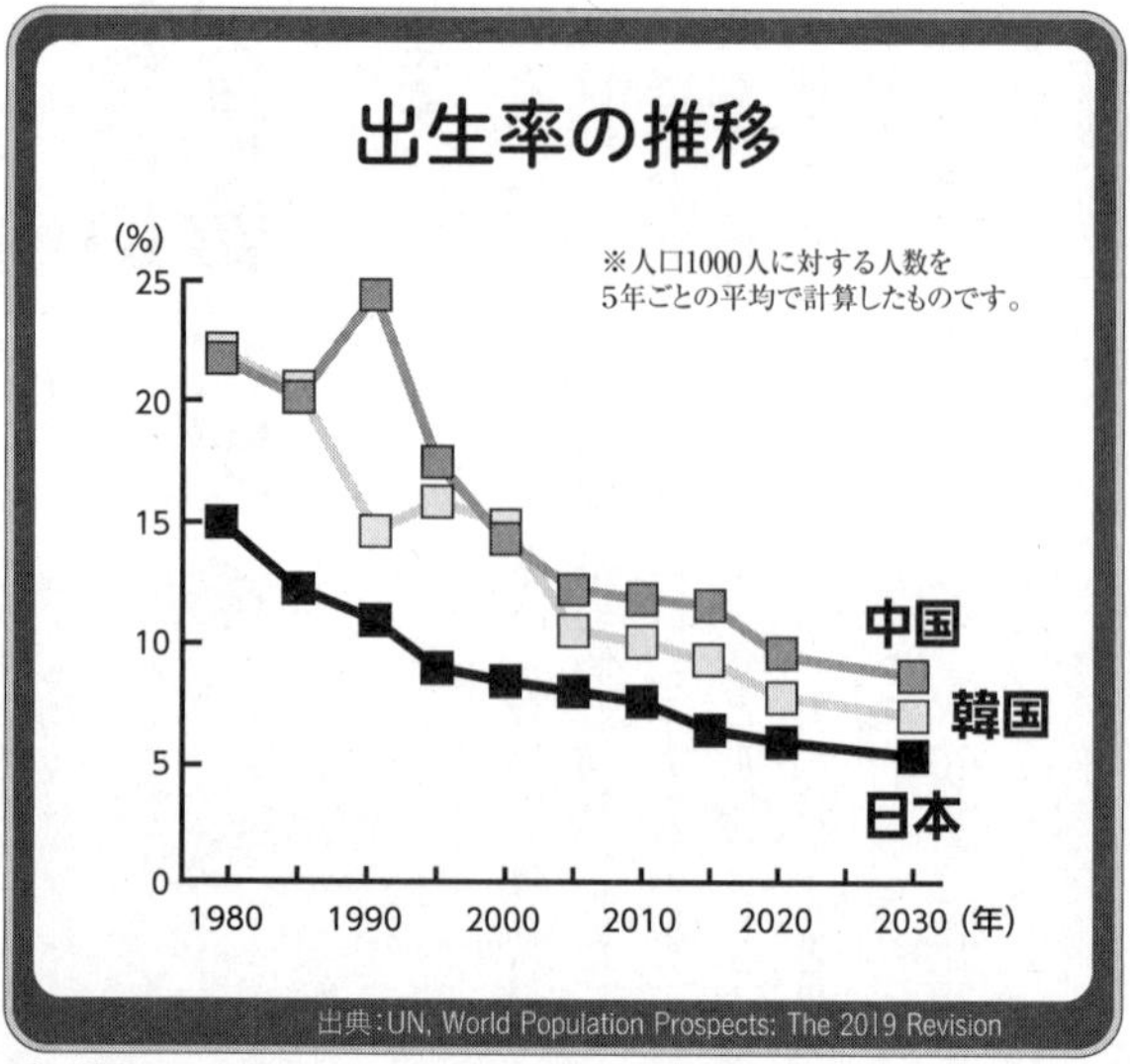

日本、韓国は10%を割り込み、中国も1980年代から出生率が大きく低下している。

政策を変更しても少子化が止まらない

中国はかつて、人口の増加を抑えるために1979年から、長らく「一人っ子政策」を導入していた。しかし、労働人口の減少を考慮し、2016年からはふたり以上の子どもを持つことを認めるようになった。

ところが、政府が期待したほどの人口増加は見られない。かつて農家では働き手として子どもを多く望む傾向があったが、現在は都市部でサービス業に従事する人が増え、高学歴化も進み、教育コストが増大しているためだ。

ちなみに、商業・サービス業従事者が約94％にもおよぶ香港の合計特殊出生率は、1・13で中国本土より低い。産業構造や生活スタイルが都会化するほど少子化が進む傾向は強い。

中国経済の最先端を走ってきた香港は、今後の中国が抱える問題も先取りしているのだ。

人口1000人あたりの出生率(2018年)

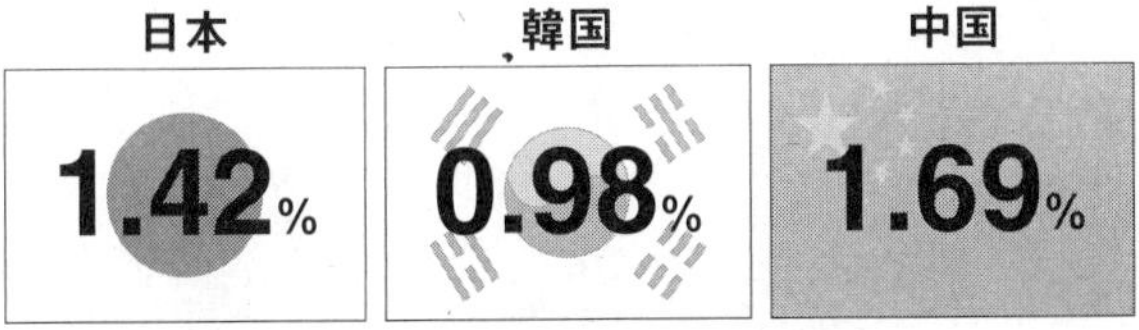

出典：世界銀行 World Bank

健康・福祉

03 医療保険

入院費が安くても損をする？条件が細かい中国の保険制度

保険があっても一定金額までは自己負担

病気やケガをしたとき、お金がなくて病院に行けないのはつらい。日本では医療保険の加入率が約70％にのぼる。加えて、医療費の自己負担率は30％が基本。70歳以上の高齢者は20％、6歳までの未就学児童と75歳以上の高齢者は10％だ。

韓国の場合、入院費用の自己負担率は20％、医薬品は30％となる。外来の診療は医療機関の規模によって30〜60％と幅があり、総合病院では割高だ。さらに、妊婦や高齢者、重症者などの条件によって細かい規定がある。

中国では地域や職場によって制度が大きく異なる。北京の例では、入院費は1300元（約2万円）まで全額自己負担。それ以上は金額に応じて保険が適用され、病院のランクによって自己負担は3〜15％となる。だが、30万元を超えると全額自己負担だ。外来診療は1800元まで全額自己負担で、それを超えると保険が適用されて10〜30%になるが、2万元を超えるとすべて自己負担になってしまう。

「海外で治療」がめずらしくない時代に

2019年にアメリカが中国に対する輸出関税を引き上げた際、医薬品は対象外だったため、胸をなで下ろした中国人は少なくなかったはずだ。今や中国でも、富裕層は海外のハイレベルな医療機関を利用する人が少なくない。来日する中国人のうち、医療目的でのビザ発給数は2018年には1390件にのぼり、3年間で1・6倍にも増えた。

美容整形手術で外国人を受け入れる韓国は、がん治療でも国外需要を見込んでいる。2013年には、外国人患者の通訳や病院との交渉を担当する医療観光コーディネーターの国家資格を導入した。今後は医療ビジネス分野でも国際競争が激化しそうだ。

医療費の自己負担割合（2018年）

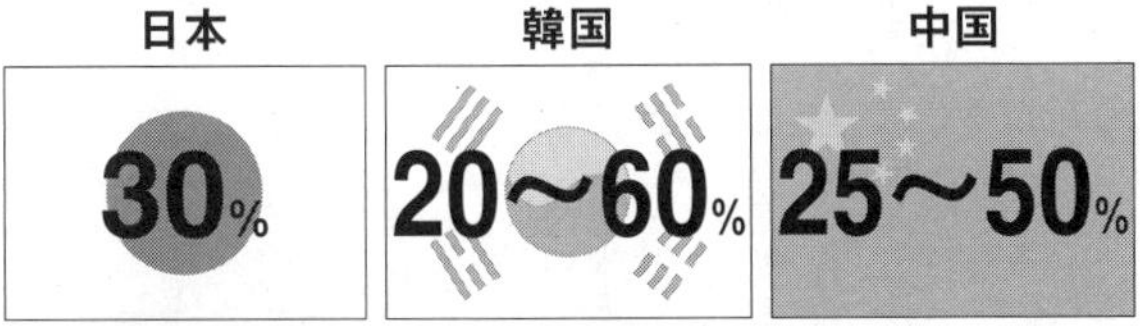

出典：厚生労働省「医療費の自己負担」、『世界の厚生労働　2019』

健康・福祉

04 喫煙率

3億人の愛煙家をかかえる中国。1箱数千円の高級たばこも人気!

女性の喫煙率が下がらない韓国

先進国では健康志向の高まりとともに喫煙率が低下しているが、東アジアではまだそうともいえない。男性の喫煙率を比較すると、欧米はすでに20%台で、日本も33・7%と下がってきた。しかし、中国は約48・4%、韓国は約40・9%だ。

喫煙率は世界的にみると男女の差はない。女性の喫煙率は、欧米では20%台の国が多いが、日本は11・2%、韓国は6・2%。中国は1・9%とさらに低い。ただし、韓国では2008年の女性の喫煙率が7・4%だったので、わずかではあるが減っている。

この背景として、女性の社会進出の拡大に加え、女性は男性の前ではつつしみ深くするべしという、儒教文化の影響が小さくなってきたことも考えられる。

新興国市場を席巻する中国産たばこ

中国の喫煙人口は約3億5000万人で、紙巻きたばこについては、じつに世界シェアの43%を占めるともいわれる。国産たばこは国有企業の中国烟草総公司《ちゅうごくたばこそうこうし》によって生産から流通まで管理されており、1箱が数千円もする高級品の「黄鶴楼《こうかくろう》」や「泰山《たいざん》」から、1箱数十円相当の廉価品まで、電子タバコもふくめると数百種類もある。

東南アジアや中南米などでは依然として喫煙人口が多いので、中国は海外市場の開拓にも力を入れている。中国烟草総公司の関連企業で香港から中国たばこを海外に輸出している中煙国際は、2017年には78億香港ドル（約1100億円）もの売上を達成した。

中国国内には日本のJT（日本たばこ産業）やアメリカのフィリップ・モリスなど海外メーカーの製品を好む喫煙者もいるが、数は少ないようだ。

喫煙率（2018年）

	日本	韓国	中国
男性	33.7%	40.9%	48.4%
女性	11.2%	6.2%	1.9%

出典：WHO（世界保健機関） World Health Statistics（世界保健統計） 2018年版

健康・福祉

05 肥満率

スマートな東アジア人のなかで、もっとも肥満率が高いのは中国

東洋人の肥満率はアメリカの約7分の1

ＷＨＯ（世界保健機関）では、体重（キログラム）を身長（メートル）の2乗で割ったＢＭＩ値が30以上となる人を「肥満」と定義している。

欧米人からはひとくくりに「東洋人はスリム」と思われることが少なくないが、これは数値的にもまちがっていない。アメリカでは肥満の人の割合が約40％、ドイツでは約24％なのに対し、日本は4・4％、韓国は4・9％、中国は6・6％だ。

日本、韓国、中国の3国では、今や中国がいちばん肥満率が高い。経済成長とともに食生活も豊かになったためだ。肥満が増えつつある中国で、多くの人々がダイエット効果を期待して愛飲しているのが、雲南省名物のプーアル茶だ。食後に飲むと、消化が促進されて脂肪を分解してくれるといわれ、人気を博している。

炭水化物をよく食べる中国人

日本より韓国、中国のほうが肥満率が高い傾向なのは、それぞれの食文化も少なからず影響している。

3国の1日あたりのカロリー摂取量を比較すると、日本は2705キロカロリーで、韓国は3420キロカロリー、中国は3194キロカロリーだ。カロリー摂取量の合計では韓国が上だが、肥満の原因になる食物といえば、ご飯やパンといった炭水化物だ。米や小麦など穀類の消費量をみると、日本は約140キログラムだが、韓国は187キログラム、中国は約195キログラムで、中国人は日本人の1・4倍も穀類を多く消費している。

ただし、WHOが世界各国で行なった調査では、肥満につながる運動不足の人の割合は、韓国が35%、中国は14%となっている。韓国は産業構造がサービス業やオフィスワーク中心なので、運動不足の人が多いようだ。

出典:総務省統計局『世界の統計　2021』

健康・福祉

06 自殺率

人口あたり自殺者が日本の約1・5倍。韓国の深刻なストレス社会

ネット中傷で自殺する芸能人も続出

自殺大国と呼ばれる日本では、心を病んで死ぬことを考える人が少なくない。実際人口10万人あたりの男性の自殺者数は約21人だ。とくに2020年は新型コロナウイルスの影響もあってか、女性や若年層の自殺が増加した。

韓国は日本以上の自殺大国で、男性は10万人あたり約30人におよび、女性も日本が10万人あたり約8人に対し、韓国は約12人だ。格差社会の韓国は、受験に失敗したり出世競争に敗れたりすると生きづらくなる。大財閥の一族が横暴にふるまったり、地縁や血縁のコネが地位に影響したりして理不尽なストレスを抱え、心が折れる人が多いようだ。タレントや政治家など著名人の自殺も多く、2019年には、元アイドルの女優ソルリがネットでの中傷を苦に自殺。さらに、アイドルグループ

KARAの元メンバーだったク・ハラが自殺して話題を呼んだ。韓国のネットでは、著名人を徹底的に批判して死にまで追い込む「指殺人」と呼ばれる人々が問題視されている。

精神的にタフな中国人男性

中国の人口10万人あたりの自殺者は男女とも約8人で、日韓より少ない。日韓にくらべて主張の強い民族性に加え、農村から都市への転出や外国への移民も多く、生活に困ってもほかの新天地を見いだせることも一因にあるかもしれない。ただし、発展に取り残された地方の農村部では、都市部よりも高齢者の自殺率が2倍も高いという。

なお、世界のほとんどの国で男性のほうが女性より自殺率が高い。妻子を養うプレッシャーや、地位や財産を失うリスクのためだろう。だが、中国ではわずかに男性のほうが自殺率が低い。メンタルが強靭なのかもしれない。

人口10万人あたりの自殺者(2016年)

	日本	韓国	中国
男性	20.5人	29.6人	7.9人
女性	8.1人	11.6人	8.3人

出典:『世界国勢図会　2020/21』

健康・福祉

07 感染症

新型コロナウイルスで注目が集まる感染拡大への日・韓・中の対応力

日本政府の対応力は「アジアで4位」？

２０２０年には中国の武漢から新型コロナウイルスが広まった。把握されている世界の感染者数は、２０２１年５月の段階で１億５９２６万人以上におよんでいる。累計感染者は日本で約65万人、韓国で約13万人、中国で９万人以上となっている。

各国の政府機関の感染症対策はどうなっているのか？　世界１９５カ国の医療体制を評価するグローバルヘルスセキュリティインデックスによれば、日本の対応力は59・８点で世界21位、韓国は70・２点で９位、中国は48・２点で51位とされる。

日本の順位はそれほど高くないが、疫病への対応は人口が少ない国が有利だ。アジアでは韓国だけでなく、人口が日本の約半分（６９００万人）のタイが６位、人口が日本の約４分の１のマレーシアも18位で日本より上位にある。

海外との連携で後れを取っている中国

日本は出入国管理や輸入食品の検査など、感染を未然に防ぐ体制への評価は高い。とはいえ、平時からの菌やウイルスのサンプル入手、感染拡大を想定した中央省庁と医療機関の連携の体制づくりが不充分とされている。実際にコロナ対応では、国産ワクチンの開発に出遅れてしまった。

韓国は北朝鮮と臨戦態勢にあるためか、バイオテロ対策を徹底し、海外との医療データ共有も進んでいる。スマホや電子決済の普及率も高いので、IT技術を利用した政府機関による感染者の行動履歴の把握も積極的だ。

中国は一党独裁の体制だけに、政府による国内外での感染源の遮断や、非常時の国民の動員などの評価は高めだ。ただし、家畜や野生動物を経由した感染への対策、海外との情報共有は低レベルとされる。新型コロナ流行の初期も、海外への情報公開が不充分だった面は否定できない。

新型コロナの累計感染者数(2020年5月12日現在)

日本	韓国	中国
感染者:65万3245人	感染者:12万8283人	感染者:9万783人

出典:日本経済新聞『新型コロナウイルス感染　世界マップ』

EAST ASIA REPORT 04

北朝鮮・台湾の健康事情

～北朝鮮の薬物汚染～

外貨獲得のためこっそりと覚せい剤の製造・輸出を行なっている北朝鮮。工場から在庫を盗んだり、精製方法を身につけて自分で覚せい剤を作って密売したりする者が増えた。そもそも嗜好品が少ないためか、最近は10代の中高生や学校の教師、警察官の間にまで覚せい剤が蔓延し、国民の健康をむしばんでいるという。

～台湾の伝統療法～

先進国なみの西洋医学が普及している台湾。しかし、慢性的な疲労や不眠、肩こり、腰痛などの症状には、伝統的な東洋医学がよく利用される。鍼灸のほか、内部を真空にした容器を患部に押し当てて刺激することで血流などを改善する抜罐（カッピング）、ヘラで身体のツボをこすって刺激する刮痧《かっさ》がさかんに行なわれている。

恋

データ05

日本・韓国・中国の
恋愛・結婚

稼ぎがなければ恋愛も結婚も難しい

男女平等の価値感は広がりつつあるものの、やはりお金の問題もあり、理想の結婚は遠のくばかり。

●肉食系男女と非モテ男女の2極化

2010年代の日本では、非婚化・晩婚化が進むなか、結婚相談所やマッチングアプリなどを利用して理想的な相手を探す「婚活」というフレーズが急速に広まった。

その反面、恋愛に消極的な「草食系」の男女や、モテたくても相手にしてもらえない「非モテ」の存在も話題を集めている。恋愛に積極的な層と、そうでない層に2極化しているようだ。

また、恋愛への願望があっても、結婚して家庭を持つのは別の話となる。大きなネックはお金の問題だ。現代の日本で非婚化・晩婚化が進んでいる一因には、低賃金の非正規雇用など、充分な収入が得られていない人が増えている点がある。

若い女性の間では、キャリア志向より専業主婦志向が強くなっているともいわれるが、実際には結婚後も働かないと生活できないケースが多い。じつは、東京都や大阪府のような大都市圏よりも、北陸や九州などの地方ほど共働き世帯の割合が高い。

非婚化・晩婚化によってますます少子高齢化が進むことを問題視する声は多いが、その解決は簡単ではない。

今も男と女のギャップが大きい韓国

韓流の恋愛ドラマでは、大財閥の御曹司と普通の家の娘といった格差、家族の反対など、古典的ともいえる設定がよくある。実際に韓国では今も、経済的な格差や血縁のしがらみなどが恋愛に影響するケースが少なくない。

そもそも韓国は、儒教文化の影響で「男は男らしく」「女は夫に忠実に仕えるべし」という考え方が色濃く、性道徳もきびしかった。このため、戦後も不倫を罰する姦通罪が残っていたが、２０１５年に廃止された。

現代では、経済発展と女性の社会進出によって、男も女も対等という考え方が広まりつつある。しかし、１９８０年代までの軍事政権時代を知る年齢の男性に男尊女卑的な価値観も根強く、若い女性の男性嫌悪の一因になっている。

しかも、日本と同じく低賃金の非正規雇用が増え、目先の生活を維持するのに手いっぱいで、恋愛や結婚をあきらめる若者が増えているという。ドラマのなかの華やかな恋愛に比べ、現実の男女の間はなかなか難しいようだ。

価値観は男女平等だが男女比は……

結婚後の男女関係について、ある意味では東アジアでもっとも対等とい

恋

えるのが中国だ。都市部では共働き世帯が多く、男性も家事をしたり子どもの面倒をみたりする割合が高く、「料理が上手なこと」がモテ男子の条件のひとつになっている。

若い世代の間では、日本や韓国以上に男女平等の価値観が広まっている一方で、もともと一族の存続を重んじる旧世代の大人からの「まだ結婚しないの？」「早く孫の顔が見たい」といったプレッシャーは大きいようだ。

とはいえ、経済発展で収入格差が生じるようになり、男女とも恋愛や結婚のハードルが上がっている状況は日本や韓国と変わらない。加えて、結婚難を生みだす独自のお国事情もある。

それは、１９７９年から２０１５年まで続いた「一人っ子政策」だ。一家の跡取りとして男児を希望する世帯が多いため、男女比が女性１００に対し男性が１１０～１１５となった。もっともこの数字は生物学的にはありえず、無戸籍となっている女性が多いことを示している。「戸籍上」は現在20～45歳の男性が女性より３０００万人も多いといわれる。事態は深刻なようだ。

恋愛・結婚

01 結婚

「お国事情で晩婚化」は3国で共通。伝統はすたれ結婚のスタイルは多様化

今や男性の初婚は30代？

日本でよく話題になる非婚化・晩婚化は、先進国に共通する現象といえる。人口1000人あたりの婚姻率（件）は、日本では4・8件、韓国は5件（組）、中国は7・2件（組）で、ドイツやフランスなどEU圏の主要国は3～5件（組）だ。

伝統的に一族を存続させることを重視する中国は、経済が比較的好調なためか、日本と韓国よりは数値が高い。それでも、2013年の9・9件（組）とくらべると減少しており、全体の件数は5年間で300万件以上も減っているという。

平均初婚年齢をみると、日本は男性31歳で女性29歳、韓国は男性33歳で女性30歳、中国（上海）は男性33歳で女性31歳と、男性はみな30歳以上。2007年の中国（上海）では男性が25歳、女性が23歳だったので、急激に晩婚化したことがわかる。

兵役の有無が男女の壁に

非婚化の背景には、男女とも個人主義が進んだ点や、男性が女性を養う伝統的な男女観・家族観の解体、経済的な問題、政策の影響やお国事情もある。

韓国には、男性のみ徴兵制がある。昔は兵役終了者は就職上の特権があったが、この特権は男女不平等ということで1999年に廃止された。それ以降、韓国男性の間では「男だけ兵役があるのは損」「女性は得をしている」と、不満の声があがったという。

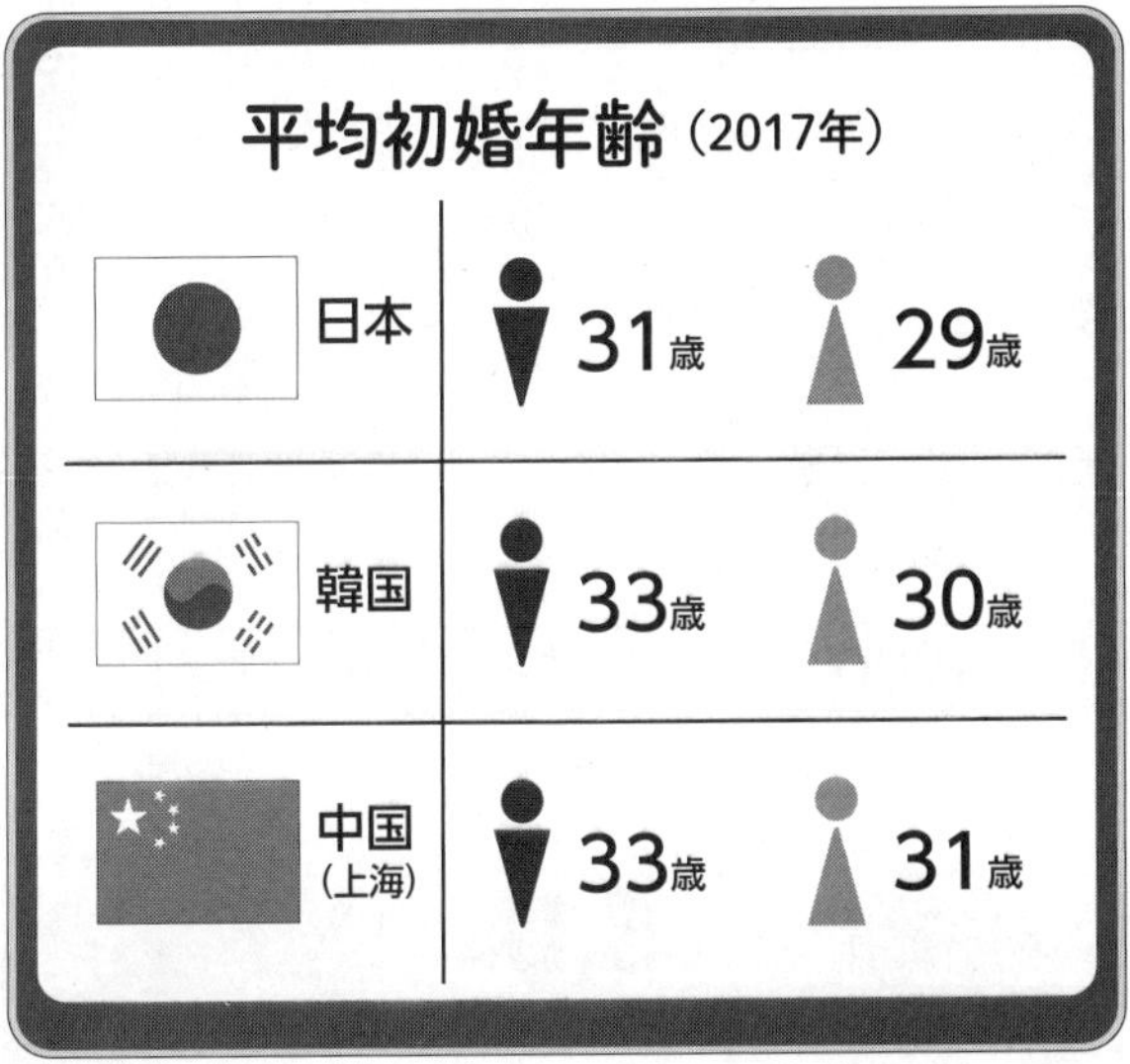

出典:OECD:Marriage and divoce rates

身内だけの結婚式もあれば会社主催の式も

結婚式の挙げ方や結婚後の生活スタイルは多様化している。日本では仲人のシステムはすたれ、職場の人間を呼ばずに親しい友人や身内だけで小規模な式を開くことや、離婚はしないが互いに干渉せず自由に暮らす「卒婚」も増えてきた。

中国では大手ネット企業アリババグループ（阿里巴巴集団）が社員の大規模な集団結婚式を行ない、イベント化している。新郎新婦のいずれかが社員なら参加可能だ。日本の婚礼は和装でも洋装でも白と黒が定番というイメージがあるが、中国では男女とも赤、韓国では男は青、女は赤が特徴で、これを反映したカラフルな衣装で式を挙げる人も多い。3国とも近年では、好きなアニメやゲームキャラクターのコスプレをして式を挙げる人もいる。結婚率が下がっても、結婚のスタイルは多様化してきているようだ。

1000人あたりの婚姻率(2017年)

出典:『世界国勢図会　2020/21』

恋愛・結婚

02 カップル向けイベント

中国の男女は、東洋古来の「七夕」の日で盛り上がる?

日本から韓国・中国に伝わったバレンタインデー

恋人のいる男女が楽しみにするイベントといえば、日本では2月14日のバレンタインデー、3月14日のホワイトデー、12月25日のクリスマスなどが定番だ。

バレンタインデーの慣習は、キリスト教圏で生まれた。古代の聖人バレンタインにちなんだ記念日に、家族や好きな人に贈り物をしていたのだ。日本では1930年代に神戸の洋菓子店がこの日にチョコレートを贈ろうと広告したところから広まり、さらにもらった側が1カ月後にお返しをするホワイトデーの習慣が生まれた。

日本で独自に発達したバレンタインデーとホワイトデーは、韓国と中国にも広まっている。韓国ではチョコレートのほかにさまざまなプレゼントをきれいなカゴに入れて贈り、中国ではバラなどの花束をいっしょに贈るのが定番だという。

毎月14日が恋愛イベント化した韓国

　バレンタインデーやホワイトデーだけでなく、韓国では毎月14日が恋愛イベントの日になっている。たとえば、6月14日は町中でキスをしても許されるキスデー、12月14日は寒いなかで抱き合うハグデーである。

　ほかにも韓国で人気が高いのが、11月11日の「ペペロの日」だ。日本の「ポッキー」に似たお菓子「ペペロ」を恋人同士で贈り合う、文字どおりに「甘い」イベントだ。

韓国の14日のイベント

1月	2月	3月	4月
14日： ダイアリーデー	14日： バレンタインデー	14日： ホワイトデー	14日： ブラックデー
5月	**6月**	**7月**	**8月**
14日： ローズデー イエローデー	14日： キスデー	14日： リングデー シルバーデー	14日： グリーンデー
9月	**10月**	**11月**	**12月**
14日： フォトデー ミュージックデー	14日： ワインデー （レッドデー）	14日： ムービーデー オレンジデー	14日： ハグデー マネーデー

5月のイエローデーは、恋人がいない男性が黄色い服を着てカレーを食べる日であり、12月のマネーデーは男性が恋人のためにお金を使う日だ。

モテない男女の「非モテ」向けイベントも

中国でバレンタインデーとならんで盛り上がる恋愛イベントといえば、旧暦7月7日（今の8月中旬）の七夕だ。日本では「短冊に願いごとを書く日」というイメージだが、もともと、恋人同士の牽牛《けんぎゅう》と織女《しょくじょ》が年に一度だけ会える日という伝説に由来する。中国ではこの日を「情人節」と呼び、男性から女性に花束を贈ったり、人前で堂々とキスをする会が開かれたりする。

一方、世の中にはこうしたイベントに縁のない男女も少なくない。韓国では4月14日を「ブラックデー」と呼び、恋人のいない男性同士や女性同士が黒い服を着て集まり、黒いジャージャー麺を食べる。中国では11月11日を「独身の日（光棍節《こうこんせつ》）」と呼び、ネット通販などで派手に散財する人が多い。恋愛の相手がいる人もいない人も、イベントを楽しんでいるのだ。

定番の恋愛イベント

日本	韓国	中国
2/14（バレンタインデー）	11/11（「ペペロの日」）	旧暦7/7（七夕情人節）

出典：韓国旅行「コネスト」ほか

恋愛・結婚

03 出産と育児

出産前後に休める期間はだいたい同じ。ただし給料の有無には差が

中国の育休期間は1カ月しかない

結婚はしたけれど仕事がいそがしい、お金もない、子どもがほしいけど、ムリ……。こうした悩みを抱える夫婦は多い。法定上の出産前後休業は、日本と中国では98日（14週間）、韓国では90日。出産後の育児休業は、日本では子どもが1歳2カ月になるまでの1年間取得でき、申請すれば厚生労働省の育児休業給付金が得られる。韓国でも1年間、中国では30日まで育児休業が認められる。育休期間の短い中国だが、家事や子どもの世話には家政婦を雇い、出産後も働く女性が多い。

近年、3国ともに男性の育児休業が認められつつあるが、日本での取得率は約6％にとどまる。休みたくても職場に人員の余裕がない、上司の暗黙のプレッシャーがきつい、給料が出ない、などの事情で取得率が伸び悩んでいるのも3国共通だ。

韓国のママは妊産婦専用の宿泊施設へ

安全な出産には、妊婦の入院や手術、産後の健康維持などでお金がかかる。日本では、健康保険加入者ならば1回の出産で最大42万円の一時金が支給される。

日本以上に少子化が深刻な韓国では、50万ウォン（約4万7000円）相当の支援金が支給されるほか、地方自治体などによる多様な妊産婦向けサービスがある。とくに、出産後の母親がゆっくり過ごせる産後調理院《サヌチョリウォン》は高級ホテルのような宿泊施設で、食事や健康管理などいたれり尽くせりのていねいなケアを受けられるので人気だ。

2016年から「一人っ子政策」を緩和した中国も、地方自治体や企業が出産支援や産後サービスを進めているが、全国的に適用される制度はない。少子化が問題となり、出産のケアや乳幼児の健康が重視されるようになったのはよい傾向だろう。

出産休業と育児休業（2018年）

日本	韓国	中国
出産休業:98日	出産休業:90日	出産休業:産前15日 産後83日
育児休業:1年	育児休業:1年（子どもが18歳になるまでの間）	育児休業:30日

出典:厚生労働省ホームページ、『世界の厚生労働　2019』ほか

恋愛・結婚

04 家事

「男はキッチンに立たない」は過去の話！ただし家族でいっしょに過ごす時間は短い

「男はキッチンに立たない」は過去の話

日本では男性が家事へ参加することが求められつつある。賃金が発生しない家庭内労働（料理や洗濯、掃除、育児、買い物、その他の家族のための作業）に男性が費やす時間をみると、アメリカやフランス、ドイツなど主要先進国では1日2時間以上の国がめずらしくない。一方、日本は1日40分、韓国は44分とかなり短めだ。意外にも中国は1時間31分と長い。

理由のひとつは、中国の女性は専業主婦志向が弱く、共働き世帯が多いことだ。これは「一人っ子政策」で生まれた女子が、男子と同じように一家を支える労働力として育てられたという側面が大きい。また、中国の学校は宿題が多いので、父親が子どもの勉強の面倒をみることが多い。

コロナ禍で注目が高まる家族の時間の変化

日本と韓国は男性があまり家事をしない反面、女性が極端に多く働いているのかといえば、必ずしもそうではない。女性の家事の時間は、主要先進国では1日4時間以上だが、韓国は3時間44分、日本は3時間47分、中国も3時間54分と、3国間での差は小さい。

逆にいえば、日本・韓国・中国は、男女ともに「家族で過ごす時間」が短いのだ。家事には、病気の家族の看病や介護、家族のために日曜大工や裁縫をする、家族で買い物に行く、子どもの悩みを聞くといった時間もふくまれる。

2020年以降は、新型コロナウイルス流行の影響で各国ともリモートワークが急増した。とはいえ、在宅勤務となった男性が家事に参加するかは、まだケースバイケースとなっている。「新しい生活様式」が3国の家族の時間を変化させるのか、今後が気になるところだ。

家事に費やす時間(2018年)

日本	韓国	中国
男性40分	男性44分	男性1時間31分
女性3時間47分	女性3時間44分	女性3時間54分

出典：OECD Social Policy for Shared Prosperity Unpaid work for men & women

恋愛・結婚

05 LGBT

BL作家が逮捕される中国。ただしトランスジェンダーには寛容

同性婚への理解が広がる日本

2019年5月、台湾が東アジアではじめて同性婚を法的に認める国家となった。一方、日本、韓国、中国はいずれも同性婚を認めていない。

2017年にNHKが行なった世論調査で、日本では同性婚を認める層が51％と半数を上回り、否定派は41％にとどまった。同性婚に準じる制度では、東京都渋谷区、兵庫県宝塚市、沖縄県那覇市など一部の自治体が、同性カップルを事実婚カップルと同等にあつかう同性パートナーシップ制度を導入している。

韓国は日本よりも同性愛に対するタブー意識が強いが、ソウル市や全羅北道は性的少数者の権利保障を条例で定めている。大韓航空などの民間企業が、海外で同性婚を挙げたカップルに対し、法的な夫婦と同等のサービスを提供している。

かつて同性愛が法律で禁止されていた中国

中国では、1997年まで同性愛は法的な処罰の対象だった。社会主義圏の国では同性愛は社会病理と考えられており、長らく弾圧されていたのだ。

現在も中国は性表現の規制がきびしい。とくに、同性愛関連はタブーとなっているという。2018年には、男性同士の恋愛を描いた耽美BL（ボーイズラブ）作家がわいせつ物の制作・販売容疑で逮捕され、懲役10年となった。前例のない極端な重罪で、見せしめの意図もあったようだ。

一方、トランスジェンダーの法的な性別変更は日本、韓国、中国ともに認めている。中国では性別を変更した芸能人が堂々と活動している。

だが、日本では性別変更に手術を義務づけるなど、議論すべき課題も多い。日本、韓国、中国が台湾のようになる日は来るのだろうか。

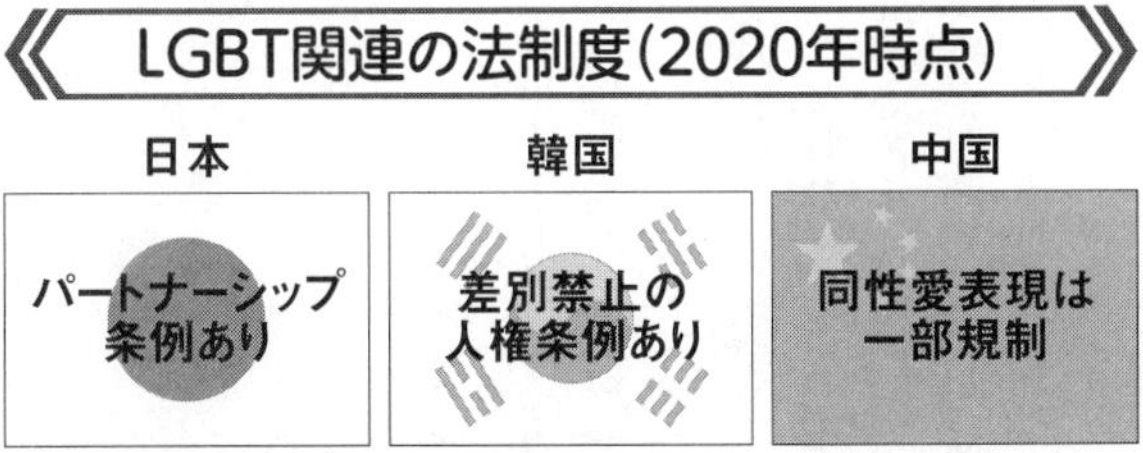

出典:『Newsweek』、『NGN japan』ほか

06 離婚率

日本と韓国では離婚率が微減？中国では「離婚前提の結婚」も

めずらしくなくなった離婚

昔の結婚は個人間ではなく家同士のものという意識が強く、体面をとりつくろうため離婚しにくかった。しかし、日本、韓国、中国ともに核家族化が進んで血縁や地縁の束縛が弱まり、離婚のハードルは下がっている。

２０１７年の１０００人あたりの離婚件数は、日本で１・７件（組）、韓国で２・1件（組）。中国のみ２０１２年のデータだが1・8件（組）だ。２００７年のデータをみると、日本が2件（組）、韓国は２・６件（組）、中国は１・６件（組）で、日本と韓国は意外にも少し低下している。じつは欧米でも、離婚率が低下した国は少なくない。そもそも結婚率が低下したので、「あとで破綻する可能性のある夫婦」が減ったのだろう。これも社会が成熟した結果なのかもしれない。

中国では離婚しても慰謝料はなくてもOK？

離婚の原因といえば、性格の不一致や不倫などが定番だが、中国では「計画的な離婚」もある。土地が国有で不動産の所有権に制限があるため、夫だけの名義で住宅ローンを組み、離婚後に妻が夫とは別に不動産の所有権を得られるようにはかるカップルもいるそうだ。

中国では共働き世帯が多く、妻は離婚しても生活に困らないケースが多い。このため、夫が元妻に慰謝料を払う習慣がなく、離婚のハードルも低いという。

３国でもっとも離婚率が高い韓国では、近年は「熟年離婚」が増え、離婚した夫婦の約33％が結婚20年以上、約13％が結婚30年以上だ。夫婦仲が険悪でも我慢して、子どもが成人したのを機に離婚に踏み切るケースが多いようだ。日本でもこのパターンはよくみられる。夫婦２人になると本音が出やすくなるのかもしれない。

1000人あたりの離婚件数(2017年)

出典:『世界国勢図会　2020/21』

EAST ASIA REPORT 05

北朝鮮・台湾の恋愛事情

～北朝鮮の「デート禁止令」～

独裁体制の北朝鮮では、結婚率・離婚率を公表していないのでナゾが多いが、やたらと風紀がきびしい。2018年に平壌で韓国と合同の南北統一バスケットボール大会が開かれたとき、外国から来る客の目を気にして、市民に「人前で男女がいちゃつくな」と指示が出された。また兵役期間中の軍人が内縁の妻を持ったら、軍をクビにされた例もある。

～オープンな台湾の結婚式～

日本・韓国・中国と同じく、台湾も非婚化・晩婚化が進んでいるが、結婚式はオープンでにぎやかだ。自宅前の道路に大きなテントを張り、出入り自由のスタイルで行なう「流水席」が伝統的な結婚式。

列席者もフォーマルとは限らず、普段は縁の薄い職場や近所の人が勝手に来ても許されるような雰囲気だという。

データ06

日本・韓国・中国の
娯楽

国境を越えて広がる日・韓・中のエンタメ市場

国と国との間に政治的な対立があっても、同じゲームやアイドルなどを楽しむ者同士に国境はない。

● コロナ禍で工夫をこらすエンタメ産業

日本では、自動車や家電製品などの「モノが売れない」といわれて久しいが、アニメやゲーム、芸能、スポーツ観戦などのエンタメは活況だ。2010年代に入って以降、日本の若者の間では、形のある商品を買う「モノ消費」よりも、気の合う友達とゲームでオンライン対戦したり、アイドルのライブやスポーツ観戦に行ってみんなで盛り上がったりするなど、体

楽

験やコミュニケーションを楽しむ「コト消費」が広まった。

政府も魅力ある日本製コンテンツの輸出によって外貨の獲得をはかり、2013年には「クールジャパン機構（海外需要開拓支援機構）」を設立したが、179億円もの累積赤字を抱えるなど迷走を続けている。この失敗の一因には、官僚や大企業の市場リサーチ不足があるようだ。

2020年の新型コロナウイルス流行以降、新作映画の公開延期や、ライブイベントの相次ぐ中止など、エンタメ業界に大きな影響を与えている。それでも、多くのアイドルやミュージシャンがオンラインでライブ中継を行なったり、動画配信サイトでテレビでは見られない独自のドラマやアニメが公開されたりするなど、「新しい生活様式」に対応したエンタメの試行錯誤が進められているところだ。

外貨獲得に余念がない韓国エンタメ

輸出に頼る経済構造となっている韓国では、2009年に韓国コンテンツ振興院という公共機関を設立。国のバックアップのもと、コンテンツ産業の育成と海外市場へのアピールをはかっている。

韓国がとくに力を入れているジャンルは芸能だ。ＢＴＳ（防弾少年団）などのＫ-ＰＯＰミュージシャンは、欧米でも人気がある。ただ、必ずしも見た目のみでウケているわけではない。２０１２年には、おかしなダンスが特徴の歌手・ダンサーのＰＳＹ《サイ》の「江南《カンナム》スタイル」が、動画サイトを通じて世界的に大ヒットした。海外でも評価の高い映画俳優ソン・ガンホ主演の映画、『パラサイト　半地下の家族』は２０１９年のカンヌ国際映画祭でパルムドールを受賞した。

また、エンタメと政治の関係も無視できない。ひところ日本でよく放送されていた韓流歴史ドラマは、朝鮮半島の北部から中国の東北部を支配した高句麗《こうくり》と、半島南部の百済《くだら》・新羅《しらぎ》の抗争を描いた作品が多い。それらには、中国や北朝鮮に対し、朝鮮半島全域の支配権を訴える意図が込められていた。

洗練された側面とアジアの歴史の同居が、韓国エンタメの特徴といえるだろう。

楽

スマホや動画は普及したが規制だらけの中国

日本ではあまり知られていないが、中国では国産アニメや国産アイドルの市場が急成長している。

中国のエンタメ市場で無視できないのが、ネットメディアとの関係だ。日本では1960年代からテレビが大衆文化をリードし、今なおその影響力が大きいが、中国では国産のゲームや娯楽番組が誕生してから間を置かずに、スマホや動画サイトが普及した。2017年に話題になった政治ドラマ「人民的名義」は、ネット配信で多くの視聴者をつかんだ。

日本の映画やドラマ、アイドルやアニメなどを愛好する中国人は多いが、一方で中国製オンラインゲームの「アズールレーン」は日本でも人気がある。ほかにも日本のニコニコ動画を模した中国の「b・i・l・i・b・i・l・i《ビリビリ》動画」には、日本人の視聴者も出入りしている。まさにエンタメには国境がないといえるが、中国では海外へのネット接続が制限され、表現もきびしく規制されるなど、産業の成長をさまたげる問題点も少なくない。

01 出版

国境を越える人気作家も続々登場！中国では検閲と戦うラノベ作家が増加中

日本でも話題となった韓国・中国のベストセラー

出版物には、単行本と雑誌、新刊と既刊の増刷、紙の本と電子書籍などの種類がある。国ごとに統計の方法が異なるため単純に比較するのは難しいが、２０１６年の日本の出版点数は７万８１１３点、韓国は４万５２１３点、中国は26万２４１５点だった。人口比でみると、中国の出版業界はまだ伸びしろがある。

近年は、国境を越えたベストセラーが増えつつある。２０１６年に韓国で刊行されたチョ・ナムジュの小説『82年生まれ、キム・ジヨン』は、国内で１００万部を突破したのち、日本語版が出て14万部売れた。

中国のＳＦ作家・劉慈欣《りゅうじきん》の『三体』は、２０１５年に英訳版が刊行されると、アメリカでＦａｃｅｂｏｏｋ創業者のマーク・ザッカーバーグやオバマ大統領（当時）

から絶賛された。2019年に日本語版も刊行されている。

日本の文学作品も負けてはいない。中国の大手ネット書店の当当網《ダンダン》では、東野圭吾の『解憂雑貨店（ナミヤ雑貨店の奇蹟）』『白夜行』などが、中国国内やアメリカの人気作家とならんで売上ベストテンに食い込んでいる。

盛況な「軽小説」と検閲の闘い

中国の出版界でも日本のライトノベルに相当する分野が急成長中で、ずばり「軽小説」と呼ばれる。日本作品の翻訳版も人気だが、中国人作家も急速に増え、作品ジャンルもファンタジーやホラー、学園ものなど多様だ。

ただ、中国は行政による検閲がきびしいので、性的に過激な表現のほか、軍や警察の人間を無能に描いたり、中国と敵対的な外国を美化する描写があったり、政府批判と解釈されたりする内容などはNGだ。このため、時には人気作家の作品がいきなり発禁になることもあるという。

出典:『出版年鑑　2018年版』、『世界国勢図会　2020/21』（矢野恒太記念会）

娯楽

02 アイドル

海外公演がドル箱に!? 日韓に続き急成長の中国アイドル市場

「韓国発の中国人グループ」も登場

2019年10月、アイドルグループの乃木坂46は上海で、日本人アーティストでは初の2日間連続公演を成功させた。解散したSMAP、活動休止中の嵐などの男性アイドルも韓国や中国で人気だ。同年に嵐が中国版ツイッターと微博にアカウントを新設したときは、最初の書き込みに12万件もの「いいね」がついたという。

韓国は国内市場が小さいため、海外展開に積極的だ。日本人と台湾人のメンバーをまじえたTWICEが国内外で好評。2018年にはJYPエンターテインメントが中国のテンセント（騰訊）と提携して中国人少年グループのBOY STORYをデビューさせた。2020年には、同事務所による日本人グループのNiziUが紅白歌合戦出場を果たしている。

国際的なトラブルも発生

近年は、芸能界も政治的な動向の影響を受ける場面が少なくない。韓国のBTS（防弾少年団）は海外でも人気が高いが、2016年に「高高度防衛ミサイル（THAAD）」配備に中国が反発して国内での韓国企業の活動を制限したため、一時的に中国公演が中止された。

その後、BTSのメンバーが、原爆投下と日本の敗戦を描いたデザインのTシャツを着ていたため、日本で猛反発を受けるというトラブルも起こっている。

日・韓コラボの人気のアイドル

NiziU

2021年に発表した楽曲「Take a picture」は、公開から1週間で再生回数1250万回を越えた。

若手の「愛豆」が次々とデビュー

　かつて中国ではアイドルを「偶像」と表記していたが、近年は発音に従った「愛豆《アイドゥ》」という表記が増えている。中国の芸能界は日本と韓国に出遅れていたが、2013年に初の国産少年グループのTFBOYSがデビューし、歌だけでなくテレビドラマやCMでも人気を集めている。

　女性ではSNH48の人気が根強い。もとは秋元康のプロデュースで日本人メンバーもいたが、現在は完全に中国の芸能事務所によるグループだ。

　日本でも韓国でも、アイドル界では活動歴が10年以上のベテランが少なくないが、中国のアイドルはまだ歴史が浅いだけに、男女とも10代前半くらいの若手が非常に多い。

　また、オーディション番組によってデビューや成長の過程をエンタメ化する手法が定着している。中国でももはや、国産アイドルの市場が確立されつつあるのだ。

人気アイドル

出典：HARYU ほか

娯楽

03 アニメ

急速に成長している中国アニメ。日本優位の時代はいつまで続くか？

日本と変わりないアニメファンのイベント

日本のエンタメ産業のなかでも、アニメは堅調だ。２０２０年には新型コロナウイルスの流行で映画の観客動員数が激減するなか、『劇場版「鬼滅の刃」無限列車編』が３６５億円以上という収益を上げ、邦画収入全体の３分の１近くを占めた。歴年のシリーズ物では、「ドラえもん」の最新作も33億円以上の収益で健闘している。

早くから日本のアニメが多く輸入されていた韓国では、「クレヨンしんちゃん」や「ドラえもん」などを自国の作品と思って育った人も少なくないという。

中国では、北京や上海のような大都市のみならず、各地で日本のアニメを愛好するファンのイベントが開かれるようになってきた。好きなキャラクターのコスプレを楽しんだり、同人誌をつくったりする姿は日本と何ら変わりない。

ペンギンが子どもたちの大統領!?

韓国では幼児向けのアニメが多い。とくに、小さなペンギンが主人公の3DCGアニメの「ポロンポロン　ポロロ」（日本では「ポンポン　ポロロ」）シリーズは2003年にスタートして以来、「子どもたちの大統領」と呼ばれるほどの大人気だ。欧米や東南アジアにも輸出されている。

飛行機を擬人化したキャラクターが登場する「ザ・エアポート・ダイアリー」、自動車を擬

ポロロはペンギンの男の子で、
ナーザは道教の少年神。

現在、「哪吒(ナーザ)之魔童降世」は著作権侵害で訴えられているが、2019年11月時点で興行収入が50億元にのぼる。

人化した「ロボカーポリー」も国内外で人気を博した。

国産アニメがジブリ作品をしのぐ

2019年に大ヒットした『天気の子』のエンドロールには、多くの中国人スタッフの名がある。近年は中国のアニメも業界も急成長中だ。上海のアニメ会社・絵梦《えもん》と日本のスタジオディーンが提携した『霊剣山《れいけんさん》』シリーズなど、日本で放送される中国産アニメも増えてきた。

中国政府は国産コンテンツの育成を積極的に進めており、2019年には劇場アニメ『哪吒《ナーザ》之魔童降世』が、公開から5日で10億元（154億円以上）の収益を上げた。これは日本のスタジオジブリによる『千と千尋の神隠し』の中国における収益を2倍以上も上回っている。

日本のアニメ製作会社は、高い技術を持っているが資金難でクリエイターが育ちづらい。近年では潤沢な資金を持つ中国企業の下請けとなるケースが増えつつある。

国産アニメの人気作

出典：HUFFPOST、アニメイトタイムズ

娯楽

04 映画

ハリウッドも無視できない中国市場。中国共産党は政治プロパガンダに利用

日本と韓国も世界的には映画大国!?

アメリカのハリウッド映画が中国市場を意識するようになって久しい。2016年にはアリババグループ創業者である馬雲《ジャック・マー》が、スティーブン・スピルバーグ監督を擁《よう》するアメリカの映画会社アンブリン・パートナーズに出資するなど、中国資本のハリウッド進出が相次いでいる。

世界の映画市場の規模をみると、北米（アメリカとカナダ）が114億ドルに対し、中国は66億ドルで、北米以外ではダントツの1位となっている。

一方、日本は20億ドルで、人口が10倍以上のインドと肩をならべている。韓国は15億ドルだが、この数字は人口で上回るドイツやイタリア、ロシアよりも上だ。世界的にみれば、日本人と韓国人もかなり映画好きなのだ。

映画が対外摩擦を生むケースも

日本の渡辺謙、韓国のイ・ビョンホンらもハリウッド映画に進出しているが、やはり近年は中国人スターの活躍が目立つ。2020年公開のディズニー実写映画『ムーラン』のメイン出演者に劉亦菲《リウ・イーフェイ》、鞏俐《コン・リー》らが起用され、中国でのヒットが期待されたが、新型コロナにより不発に終わった。

ただ、世界で公開される作品は中国のプロパガンダのひとつになっている。2019年には米中合作のアニメ映画『アボミナブル』の劇中に登場した地図に、中国が自国の領海であると主張している「九段線《きゅうだんせん》」が描かれ、南沙諸島《なんさしょとう》問題で中国と対立するベトナムやマレーシアで猛反発を受けて上映が中止された。香港のスターであるジャッキー・チェンは、中国共産党への強い支持を表明している。今後も海外の映画会社が、中国の映画会社や俳優の政治的な意向に従うことになるのかどうかは気になるところだ。

世界の映画市場規模(2016年)

出典:ジェトロ「米国コンテンツ市場調査映画編」

娯楽

05 ネット動画

「ユーチューバー」はまだ少ないが、月間5億人が利用する中国ネット動画

韓国で人気なのは「大食い動画」

昨今のエンタメ業界において、ネット動画は無視できない。２０２１年４月８日現在、日本人ユーチューバーの代表格Ｈｉｋａｋｉｎのチャンネル登録者数は約９０５万人、はじめしゃちょーは約９１４万人。いずれも合計動画再生回数は70億回以上だ。ＮｅｔｆｌｉｘやＡｂｅｍａＴＶのように、ネット限定の番組配信サービスも増えてきた。

韓国にもカリスマ的なユーチューバーが多い。Ｋ-ＰＯＰや洋楽のカバー歌唱で注目を集めたＪ《ジェイ》．Ｆｌａ《フラ》は１７００万人以上のチャンネル登録者を持ち、プロのミュージシャンとしても活動中だ。韓国の動画では、大食い、ゲーム実況、女性のメイクの人気が高い。

中国で人気の日本人動画配信者も

2016年時点のYouTubeの利用率は、日本では約40%、韓国は約59%だが、中国は約12%にとどまる。だが、テンセントビデオ（騰訊視頻）とiQIYI（愛奇《アイチー》芸《イー》）の1カ月あたりのユーザー数は5億人以上。15秒間の短い動画を投稿できるTikTok《ティックトック》や、日本のニコニコ動画と同じく、画面にコメントをつけられるbilibili《ビリビリ》動画は、中国だけでなく海外でも人気だ。

　中国では動画配信やSNSで人気を集める人物を「網紅《ワンホン》」と呼ぶ。人気の網紅が企業と提携した商品紹介は広告効果も絶大で、その市場規模は1兆円以上にもおよぶという。その先駆者となったpapi醤《ちゃん》は、微博《ウェイボー》のフォロワー数3000万人を超える。日本国外で累計約100万人ものフォロワーを持つ松浦文哉など、中国で人気となった日本人も少なくない。

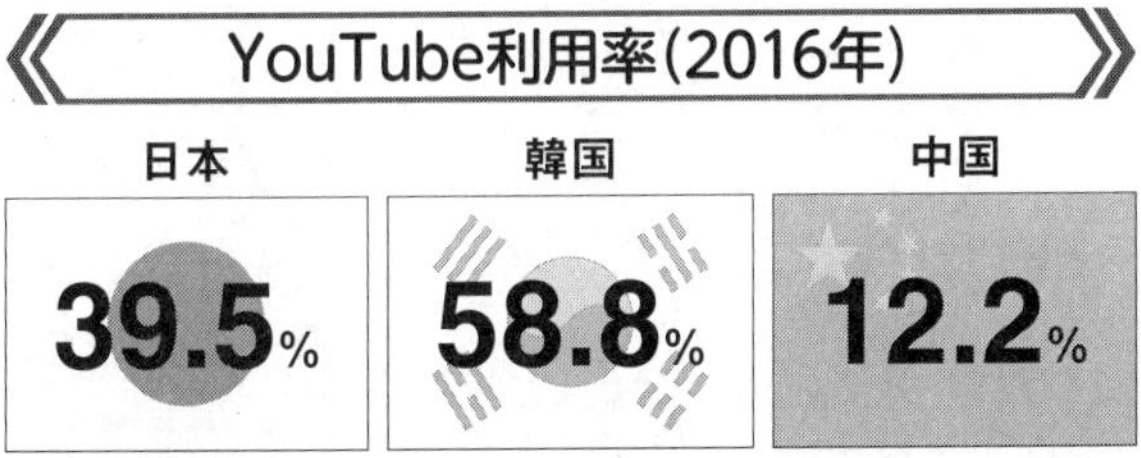

出典：経済産業省「世界のコンテンツ市場の現状と展望に関する調査」ほか

娯楽

06 ゲーム産業

市場規模は3年で約3倍に！世界中でプレイされる中国のゲーム

すでにアメリカを超えた中国のアプリゲーム市場

ゲーム産業の市場規模を比較すると、日本は3867億円。対して韓国は2199億円、中国は437億円だ。「あれっ、韓国も中国もそんなに少ないの？」と思ったアナタは鋭い。この数字、じつは家庭用ゲーム機とパソコン用ゲームのハード、ソフトが対象で、ネットを利用したオンラインゲームはふくまれていない。

世界のゲームの主流はスマホでプレイされるアプリ。その市場規模は、韓国は4818億円、日本は1兆3126億円、中国はじつに2兆1585億円で、日本の2倍近い。なお、アメリカは1兆4465億円で、すでに中国市場が世界ナンバーワン。しかもその数字は、2015年からの3年間で3倍近くに増えており、今後も市場は拡大していくだろう。

日本人の課金ユーザーはおいしい客

家庭用ゲーム機が20年以上前に普及した日本とは異なり、ネクソンやテンセントなど韓国・中国のゲームメーカーは、ネット時代の到来とともにゲーム市場に参入した。

海外でもプレイされる中国製のスマホゲームとしては、全世界でユーザー2億人以上といわれるバトルロワイヤルものの「荒野行動」、軍艦を擬人化した海戦ゲームの「アズールレーン」、『三国志』の世界観をベースにしたスマホゲーム「放置少女」などが有名だ。

韓国製オンラインゲームも「リネージュ」シリーズなどが、日本をふくめ海外でも人気だ。

なお、韓国でも、中国でも睡眠も食事も忘れて長時間プレイに没頭する「ネトゲ廃人」が増えている。また、韓国・中国のオンラインゲーム業者は、大金を課金するユーザーの多い日本こそ、おいしい市場と思っているようだ。

ゲームアプリ市場規模(2018年)

日本	韓国	中国
1兆3126億円	4818億円	2兆1585億円

出典:CESA(コンピュータエンタテインメント協会)「CESAゲーム白書」

娯楽

07 人気スポーツ選手

日本は野球、韓国はサッカー、中国は卓球。注目を集めるスタープレイヤーたち

海外でもしのぎを削る日韓の選手

日本では「好きなスポーツ選手」といえば、昭和の長嶋茂雄・王貞治から平成のイチローまで野球選手が必ずランクインする。近年はロサンゼルス・エンゼルスで投手と打者の「二刀流」に挑戦する大谷翔平が注目されている。技術だけでなく美しい見た目もあって、フィギュアスケートの羽生結弦も人気が高い。女性では、テニスの大坂なおみが世界ランキング1位になったことで注目されている。

サッカーと野球は韓国でも盛んで、近年の人気ナンバーワンは、イングランドのトッテナムで活躍するサッカー選手の孫興慜《ソンフンミン》。これに次ぐのがトロント・ブルージェイズに属する野球選手の柳賢振《リュヒョンジン》だという。

女性では、かつて日本の浅田真央としのぎを削ったフィギュアスケートの金妍兒《キムヨナ》

が、引退後も根強い人気を誇る。

中国で人気のNBAが政治問題に

中国の人気スポーツといえば卓球だ。2016年のリオデジャネイロ大会までオリンピックで三度の金メダルを獲得したベテランの馬龍《マロン》を筆頭に、そのライバル格として知られる張継科《ツァンジーカー》、許昕《シューシン》、近年台頭してきた樊振東《ファンジェンドン》らの強豪選手が世界ランキングの上位を独占している。

日韓と異なり中国は野球、サッカーともに人気も実力も今ひとつだが、バスケットボールは過去にNBA選手を輩出している。

なお、2019年には、NBAのヒューストン・ロケッツの幹部が中国政府に弾圧されている香港のデモに支持を表明。これに中国側が反発し、NBAの中継放送が中止となる騒ぎもあった。スポーツ界も政治的な駆け引きの場になっているのだ。

人気NO.1のスポーツ選手(2019年)

出典:聯合ニュース、オリコンニュース「第12回 好きなスポーツ選手ランキング」ほか

EAST ASIA REPORT 06

北朝鮮・台湾の娯楽

～韓国エンタメは禁止の北朝鮮～

北朝鮮の映画や音楽は、基本的に国民啓発のプロパガンダだ。2012年にはアイドルグループのような女性ユニットの牡丹峰《モランボン》電子楽団が結成されたが、レパートリーは軍歌のような愛国ソングが多い。

一部では韓国産K-POPや韓流ドラマのDVDも人気だが、ほとんどは非合法な密輸品なので、視聴がバレて逮捕される人も少なくないという。

～人気のC-POPと台湾ドラマ～

C-POPと呼ばれる台湾のミュージシャンは中国や東南アジアにもファンが多く、ベテランの女性シンガー張恵妹《チャンホェイメイ》、5人組ロックバンドの五月天(Mayday)、日本でもアルバムを発売した盧廣仲《クラウドルー》らが有名だ。台湾では日本のアニメやドラマも人気だが、国産ドラマには歌手やアイドルの出演が多く、平岡祐太など日本の俳優を起用した作品もある。

働

データ07

日本・韓国・中国の仕事

若者にはきびしい東アジアの雇用事情

日本以上のパワハラや過剰な実力主義が横行する韓国と中国。それが企業の競争力を生んでいる面も。

●苦しい労働環境にコロナ禍が追い打ち

２０１０年代の日本では、少子高齢化による労働人口の減少が唱えられる反面、多くの経営者が人件費の削減をはかり、立場の不安定な非正規雇用が増えた。そんななか、２０２０年の新型コロナウイルス流行で経済活動が停滞し、個人商店の廃業や企業のリストラが相次いだ。

このため、ウーバーイーツの配達員など臨時のアルバイトに転じる人や、

働

低賃金での長時間労働や理不尽なパワハラにも甘んじるしかなくなる勤労者が多く、依然としてブラック企業が蔓延している状況だ。

２０２１年１月には、経団連（日本経済団体連合会）の中西宏明会長（当時）が、「日本の賃金水準がいつの間にか経済協力開発機構（ＯＥＣＤ）のなかで相当下位になっている」と発言し、話題を呼んだ。日本はもはや、先進国のなかでも働く人にとって魅力ある国ではなくなりつつある。

大企業の正社員以外では、募集時とは大違いの劣悪な賃金や勤務時間、住居費や作業着といった名目での給料の天引きが行なわれる事例も少なくない。近隣アジア諸国から来た外国人技能実習生にもこうした待遇が多いので、放置していれば日本の対外的な好感度が悪化しかねない。

若者が「ヘル朝鮮」と嘆くワケ

日本と同じく、韓国も低賃金の非正規雇用者が増加し、安定した職は限られている。多くの若者は、結婚やマイホームをあきらめざるをえない状態で、受験や就職での競争と経済的な格差が激化する自国を「ヘル朝鮮」

と自嘲的に呼ぶ人も少なくない。

一方、大企業の幹部には横柄な言動が多く見受けられる。2014年には、大韓航空の副社長が、機内で客室乗務員を怒鳴りつけて運航を止めさせる「ナッツ・リターン事件」が話題となった。韓国は一族経営の大財閥が多く、なかには「高慢なエリート」を絵に描いたような者もいる。さらに、男性は兵役できびしい上下関係を叩き込まれた人が多いので、パワハラも非常に多い。韓国では中途退職して独立する人や、技術や語学力を身につけてアメリカの企業に転職する人が多いが、きびしい国内の労働環境から逃れたいという面もある。

皮肉にも、こうした人材の動きが企業の新陳代謝や海外進出、新しい技術の導入をうながし、韓国の経済を支えているともいえる。

共産主義の国なのに経済格差は拡大

中国共産党が支配する中国は、タテマエ上は共産主義国である。共産主義とは本来、経営者と労働者の経済的な不平等をただし、労働者が政権を担うことを唱える思想だった……。

ところが、現実の中国は、経済発展が進んで世界的な大企業や大富豪が増える一方、日本や韓国と同じく低賃金の長時間労働に従事させられる人が増え、格差は拡大している。

　１９９０年代以降、国民の不満が増大するのを避けるため、中国共産党は「政治的な自由は制限するが、金もうけの自由は認める」という方針を決めた。その結果、中国の労働法では、1日8時間、残業は1カ月36時間まで、残業代は最大で３００％割り増しなどと定められている。だが、これはほぼ守られていない。

　また、韓国と同じく中国でも中途退職して独立する人や転職する人が非常に多い。徹底した実力主義で、同じ職場で忠実に働き続けても報われるとは限らないからだ。

　日本も終身雇用は崩れつつあるが、多くの企業は新卒一括採用が基本だ。コロナ禍で世界的に失業が増えるなか、日本型の安定雇用と、韓国・中国の流動的な雇用のそれぞれの一長一短が問われている。

仕事

01 失業率

世界的に失業率は低めだが、職場に定着するのは大変

回復が待たれる「コロナ失業」

2020年には新型コロナウイルスの流行にともなう経済の停滞のため、世界的に失業者が急増した。日本は同年中の完全失業者が一時的に35・5%も増加したが、ドイツでは50%、アメリカでは約285・5%にもおよんだ。主要先進国のなかでは、急激な悪化を避けられたほうだといえる。

日本では2010年代、失業率は改善していた。2011年3月に発生した東日本大震災の復興事業、2020年に開催を予定されていた東京オリンピック・パラリンピックの影響で建設業の需要が高まったためだ。しかも、2012年から人口の多い団塊世代（1947～1949年生まれ）の退職が相次いだ。ただ、1970年代生まれの「就職氷河期世代」には多くの「低賃金の非正規雇用」が存在する。

韓国の20代の失業率は労働者全体の2倍以上

コロナ禍が広まるまで、韓国の失業率は約4%と深刻ではないが、20代以下の若年失業率は約10%だ。21世紀に入ってすぐに学歴偏重の競争社会となった韓国では、大卒者の就職先ですら不十分だ。一方、工場や店舗などの無人化・自動化が進み、若者の就労の場がますます狭くなっている。

2005年ごろから公開されている中国の失業率は4～5%前後でほとんど変化はなく、経済成長のペースは落ちつつあるものの、就労者の総数は増え続けている。ただし、旧態依然とした赤字の国有企業では人員削減を進めており、教育水準の低い農民工《のうみんこう》（農村部出身の出稼ぎ労働者）などは簡単に解雇されるなど、地位が不安定だ。政府は、成人を対象とする専門的な職業訓練を実施している。

日本、韓国、中国とも数字上の失業率は高くないが、今ある職にしがみつくのに必死な人は少なくないようだ。

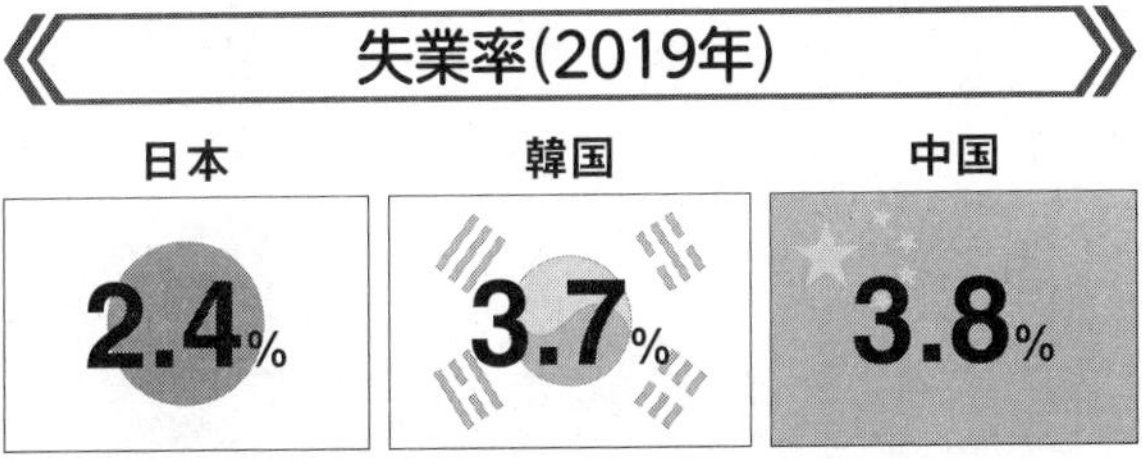

出典：ILO,ILOSTAT 2020

02 月収
日本以上の高給取りもいるが、ハイリスク・ハイリターンの中韓の企業

月収だけなら日本より韓国のほうが高い？

賃金の比較は難しい。大企業と中小企業、正社員と非正規社員、都市部と地方、業種、年齢などによって収入のばらつきが大きいためだ。

たとえば、日本の平均年収は約４２０万円といわれるが、年収が数千万〜数億円にもなる少数の超高給取りもふくめた数字なので実態と異なる。勤労者全体でもっとも割合が多い「中央値」はこれよりも低く、約３６０万円とされている。

ＩＬＯ（国際労働機関）の資料によれば、２０１８年の全産業での月例平均賃金は、日本は30万６２００円、韓国は３５９万３０００ウォン（31万３９３１円）、２０１６年の中国は５６３１人民元（８万７６８３円）となる。つまり韓国のほうが日本よりも高い。ただ賞与なども含めた年収は日本のほうが高いともいわれる。

職場によっては月収60万円台も

　韓国ではサムスン電子や現代《ヒュンダイ》自動車のような財閥系大手企業と中小企業では年収に大きな差がある。しかも、実力主義が定着しているので、入社から5年ほどで給与に2倍もの差がつくのは当然。競争に敗れた人の離職も多い。

　中国の平均賃金は日韓に比較すればまだ低いが、経済成長を反映して、職種によっては人件費が高騰している。単純労働ではなくプログラミングやマネジメントといった専門的な技能が求められる職種では、もはや韓国、中国のほうが日本より高収入のケースも多く、日本で求人募集する韓国企業や中国企業も増えている。

　上海や深圳のような大都市のIT企業や金融機関で働くビジネスパーソンには、月収が4万元（64万円相当）台という事例も今やめずらしくない。だが、韓国と同じく実力主義の企業が多いので、離職率も非常に高い。

平均賃金（2018年）

日本	韓国	中国（2016年）
30万6200円	359万3000ウォン（31万3931円相当）	5631人民元（8万7683円相当）

出典：ILO,ILOSTAT Database　2019

03 労働時間

実質的には週休1日!? 休みが少ない中国の労働者

先進国ではまだ長い日本の労働時間

従業員を酷使するブラック企業の特徴といえば、低賃金と暴力的なパワハラ、そして長時間労働だ。週あたりの労働時間は先進国ほど短い傾向があり、アジアでは40時間以上の国が多いが、アメリカやEU圏の多くは35〜37時間ほどだ。日本は38・9時間、韓国は42・8時間、中国は46・1時間となる。つまり、中国人は週におよそ丸1日分、日本人より多く働いている。

日本では2010年代以降、従業員に長く働いてもらって残業代を払うより、定時に仕事を終わらせて労働生産性を重視する傾向にある。ただ、労働時間は職種による差も大きく、運送業ではネット通販の普及で月に100時間以上の残業も多い。一部には、残業分はタイムカードに記録させないという悪質な企業も存在する。

1日12時間労働の「996工作制」

日本では、１９９７年から1週間の法定労働時間が40時間となった。韓国も２０１１年から40時間だが、徐々に労働時間は短くなりつつある。

中国は１９９５年に週40時間労働制を導入したが、効率化がうまくいっていないためか、労働時間は短縮されていない。休日も少なく、日本は労働基準法で定められた有給休暇が最長20日だが、中国では15日だ。

２０１３年ごろ、アメリカ・アップル社の中国国内でｉＰｈｏｎｅを製造している工場は週に70時間近い長時間労働もめずらしくない、と報道された。その後、事態は改善されたようだが、２０１９年には「９９６工作制」というフレーズが中国の10大流行語のひとつに選ばれた。これは「朝９時出勤・夜９時終業・週６日出勤」を意味する。どうやら、日本以上のブラック企業が少なくないようだ。

出典:『世界国勢図会　2019/20』

04 労働災害

業務上の事故での死者が日本の3倍以上。危険が多い韓国・中国の職場

下請け・非正規任せで事故が多発

高度経済成長期の１９６０年代、日本には工業や建設業の危険な職場で働く者が多く、年間６０００人もの労働災害による死者が出た。しかし、現在では法整備が進み、安全意識が高まったため、死者は年間１０００人前後に減少している。

韓国では、年間２０００人近い労災死亡者が発生している。韓国の労働人口は日本の半分以下なので、割合は日本の4倍以上だ。２０１６年に韓国の労働組合が行なった調査では、現代建設、大宇建設、現代重工業などの財閥系企業が労災による死者を出している。

人件費を削減するため、安全対策が不十分な下請け企業や経験の浅い非正規雇用者に仕事を任せた結果、事故が多発しているようだ。

石炭を10万トン掘ればひとり死ぬ

中国における2017年の労災死亡者は約3万8000人におよぶ。中国の労働人口は日本の約11倍で、割合でみると日本の3倍以上だ。さらに、この数字は「非生産部門」を差し引いたもので、鉱工業以外の商業・サービス業などの労災死亡者はふくまれない。それもふくめた2015年までのデータによると、年間7万人近い数字となっている。

とくに鉱山は、採掘中の土砂崩れや坑道での生き埋めなどの事故が多い。世界屈指の石炭生産国である中国では、現在も鉱業従事者が日本の19倍もいて、採掘量10万トンあたりにひとりの割合で死者が発生している。公表されている事故の発生数は年々減少しているが、事故が隠蔽されているケースも少なくないという。

経済成長で急速に企業の収益や人件費が向上している中国だが、安全面の対策はまだまだ改善の余地がある。

労働災害の死者数(2017年)

出典:厚生労働省、中国国家統計局、韓国雇用労働部

05 女性の社会進出

女性が輝けるのは日本ではない!? 家政婦のおかげで長く働ける中国人女性

世界的には低めな東アジアの男女平等度

女性の就業率は、東アジア各国において大きな差はない。日本の労働人口に占める女性の割合は43・9%、韓国は42・1%、中国は43・8%だ。

それでは、働いている女性の地位はどうだろうか？ 国際機関の世界経済フォーラムは、世界156カ国で、経済、教育、健康、政治の4つの面から「ジェンダー・ギャップ指数」を測定している。数値が1に近いほど男女平等度が高く、上位を占めるアイスランドやフィンランド、ノルウェーなどの北欧諸国で0・8台、アメリカやドイツなどの主要先進国はおおむね0・7台だ。

東アジア諸国の順位はいずれも世界で100位以下。数値は日本が0・656、韓国が0・687、中国が0・682で、韓国が日中より少し高い。

中国企業の上級管理職10人にひとり以上は女性

中国は古代から男尊女卑的な儒教文化が根強かったが、1949年に共産党政権の成立以降、国策として女性の就労の場を広げることに力を入れてきた。

1980年代からは「一人っ子政策」のため、女子も一家の跡取りとして高収入の職に就けるように育てられた。また、都市部では家事を代行する家政婦が普及し、結婚後も家のことを気にせず働くキャリアウーマンが多い。

現在の中国では民間企業も女性の活用に積極的で、上級管理職の11%を女性が占めるとされる。女性の起業家も急速に増えており、オンラインショッピングモールのタオバオ(淘宝)では出店者の約50%が女性だ。アメリカのマスターカードが公表している2020年の世界の「女性起業家指数」では、日本は47位だが、中国は21位となった。今後も中国では女性の起業家が増えそうだ。

ジェンダー・ギャップ指数(2021年)

出典:Global Gender Gap Report 2021

仕事

06 ニート率

意外にもニート率が低い日本。中国の割合は5倍以上だった！

日本のニートは国際基準とは微妙に異なる

日本で「ニート」という言葉は、「失業者」あるいは「引きこもり」のような意味で使われることが多い。だが、ILO（国際労働機関）の定義では、15～24歳で就労せず、教育や職業訓練を受けていない人をさす。これに当てはまる割合は、日本では約3％だが、韓国では約14％、中国では約18％におよぶ。

日本では、1990年代後半～2000年代に就職できなかった「就職氷河期世代」がそのまま歳を重ねて「中高年ニート」となった。その数は約60万人と推定されている。しかし、20代前半以下の「若年ニート」の比率は少ない。これは、2010年代から働き手が減ったことに加え、日本企業の多くがいまだ新卒一括採用を取り入れているためだ。

求人があってもブラック企業はイヤ

韓国と中国の若年ニートの比率が高い理由は、日本にくらべて新卒採用の枠が少ないという事情を反映している。多くの企業が実力主義のため、経験者を優遇するからだ。

とくに、中小企業は経験の浅い若者を雇う余裕がない場合が多い。韓国政府は2018年から中小企業に対して、青年3人を正規に採用すれば、ひとりあたり2000万ウォン（約186万円）を3年間にわたり補助するなどの方策を定めた。若者の雇用を増やそうというわけだ。

また、中国の都市部では、かつて「農民工《のうみんこう》」と呼ばれる農村出身の出稼ぎ労働者がおもな労働力だった。だが、その2代目、3代目は、親の世代より教育水準が高く権利意識も強いため、ブラック企業に勤めるよりは働かずに過ごす傾向が強いという。中国でも、人件費の安い単純労働からは若者が離れていく状況になっているのだ。

出典:『世界国勢図会　2020/21』

仕事

07 外国人労働者

日本で働く外国人は約１８０万人。韓国でも移民が急増する理由は？

外国人労働者は増えているが劣悪な職場も

厚生労働省によれば、２０１８年の日本の外国人労働者数は約１４６万人だ。このほかに仕事を学ぶという名目で来日した技能実習生が約33万人。さらに、実数は不明ながら、留学生として来日しながらアルバイトをしている人も少なくない。

就労目的で来日した外国人の国籍は中国人がいちばん多く、約27％を占める。続いてベトナム人が約22％、フィリピン人が約11％だ。

労働人口の減少が叫ばれるなか、経団連（日本経済団体連合会）は外国人の雇用拡大に乗り気だ。もっとも、近年は技能実習生を時給２００円程度で１日に10数時間も働かせるような悪質な雇い主や、日本へ渡航する際に巨額の手数料を取る仲介業者が問題となっている。しかも、コロナ禍で失職したまま帰国できず生活難に陥ったり、犯罪に走ったりする事例も現れているので、早急な事態の改善が望まれる。

中国もいずれ移民を受け入れる?

統計上、就労目的で訪れる外国人の数は、韓国では約3万人、中国では約12万人しかいない。ただし、韓国では急速に移民が増えている。日本の移民比率は1・97%だが、韓国はこれより少し高く2・27%。大部分は中国人だが、ベトナムやフィリピン、タイ、モンゴルなどから移住する人も少なくない。韓国は日本以上に急速に少子化が進んでいるので、今後も外国人の受け入れに力を入れるだろう。

一方の中国では、2017年時点の移民比率はわずか0・07%だ。とはいえ、少子化で労働人口が減少しつつあり、人件費も急騰している。そのため日本に来る中国人労働者の人件費も急騰しているので、日本に来る中国人労働者の伸び率は頭打ちになりつつある。

移民比率(2017年)

出典:United Nations – Population Division

EAST ASIA REPORT 07

北朝鮮・台湾の労働者

〜副業に励む北朝鮮の軍人〜

韓国は商業やオフィスワークなど第３次産業の従事者がいちばん多く、約59％を占めるが、北朝鮮は製造業や鉱業など第２次産業の従事者が約55％だ。工場や土木工事現場では、軍人も動員されているが、近年は給料が減り、副業しないと生活できない軍人が多い。駐屯している地域の住民が道路を使うのに通行料を取るなど、悪質な軍人もいるという。

〜昼休みはみんな寝る台湾〜

IT立国の台湾では、いそがしく働くオフィスワーカーが多いが、ほとんどの会社に「昼寝の時間」がある。昼食後に一時的にオフィスを消灯し、席についたまま数十分眠るのだ。東南アジアや南欧などでは午後の暑い時間に仕事を休んで昼寝をする国もあるが、台湾は、小学校でも昼食後はみんなで昼寝をする。これは国民的な習慣となっている。

データ08

日本・韓国・中国の 文化

固有の文化を持つが技術は似たり寄ったり

古代は大陸の文化を輸入した日本と朝鮮半島。近代は日本がリードしたが、互いに影響し合う関係が続いている。

●IT技術で出遅れかけている日本

漢字や箸、屋根瓦、そして七夕や端午の節句などの年中行事……、現在ある日本の文化で、中国大陸や朝鮮半島から伝わったものは非常に多い。

神道は日本で生まれた宗教だが、その儀式やおみくじ、お札にも、古代中国の慣習が取り入れられている。また印鑑や元号など、発祥の地である中国ではすたれたが、日本ではまだ現役のものもある。

言語や宗教などの文化は、コミュニケーションの手段として発達してきた。その最新の形がＩＴ技術だが、スマホやＳＮＳの利用率など、２０１０年代以降、コミュニケーションツールでは韓国と中国が日本を追い抜きつつある。

韓国をふくむＯＥＣＤ（経済協力開発機構）諸国では、15歳の段階でのパソコン利用率が60～80％台。ところが、日本は35％しかない。プログラミングやアプリ開発などの技術を身につけるには、早くからパソコンに接することが望ましい。このため、文部科学省は２０２１年度から中学校でプログラミング教育を導入する新学習指導要領を決定し、全国の小中学校に児童・生徒１人１台のパソコン導入を進めている。

「韓国オリジナル」への強いこだわり

第二次世界大戦後に国ができた韓国は、アメリカや日本の文化・技術を吸収して経済成長をとげた。サムスン電子がスマホ市場で世界をリードするようになったのも、国をあげてのＩＴ振興に加え、日米の有名企業の下請けを狙い、技術を蓄積してきた成果だ。

日本以上に韓国は、古くから大陸との関係が深かった。とくに、上下関係や一族の維持を重視するのは、やはり儒教が原因だ。韓国の年長者の間では今も根強い。

現在の韓国では、ナショナリズムの高まりとともに伝統文化が見直されており、それが中国との間で「起源論争」となる場合もある。

たとえば、２００５年には韓国で行なわれる江陵端午祭《カンヌンタノジェ》がユネスコの世界無形文化遺産に登録されたが、中国からは「端午の節句の発祥の地はウチだぞ！」と反発の声が上がった。

また、韓国では鍼灸や生薬を使う伝統的な医療を「漢方」ではなく「韓方」と呼び、中国から伝わった要素を朝鮮半島で独自に発達させたと強調している。

「韓国独自の文化」を強調する意識の背景には、日本との文化財の返還問題で得た自信もあるといえる。しかし、韓国は急成長する中国に文化的にも呑み込まれることを恐れているのかもしれない。

日本やアメリカをまねて成長する中国

日本にも朝鮮半島にも大きな影響を与えてきた中国の文化は、多様な要素が混ざり合って成立している。中国で暮らす民族の多数派は漢民族だが、ほかにもチベット族やウイグル族など、公認されているだけで55もの少数民族が存在する。13世紀にモンゴル人が建国した元、17世紀に満洲族が建国した清など、異民族の王朝からはじまった文化も少なくない。

また、逆に近代以降は中国が日本の文化を吸収した。現在の中国で使われる漢字熟語には、「資本」「銀行」「民主主義」など、明治期以降に日本でつくられたものも多い。

ＩＴ技術に目を向けると、中国版Ｔｗｉｔｔｅｒと呼ばれる微博《ウェイボー》、中国版Ｆａｃｅｂｏｏｋというべき人人網《レンレンワン》など、欧米の影響が大きい。また中国製品は日本やアメリカのパクリ商品が横行している。もっとも日本の製品も、高度経済成長期の途中までは欧米を模倣したものが多かった。これからより一層中国製品の独自性が問われることになるだろう。

文化

01 オリンピック

オリンピックでは絶対見逃せない、国ごとに異なる得意種目は？

人口比でみれば多くない中国のメダル数

新型コロナの影響で延期となった夏季オリンピック・パラリンピック大会が、２０２１年に東京で開催予定だ。東京での開催は１９６４年から2度目となるが、じつは１９４０年にも、開催が予定されながら戦争のため中止された過去がある。

韓国で開かれた平昌《ピョンチャン》冬季大会（２０１８年）までのメダル数をみると、夏季は日本が４４１個、韓国が２６４個、中国は５４３個だ。冬季は日本が58個、韓国が70個、中国が62個となる。中国のメダル数は人口の割に少なく思えるが、毎回欠かさず選手団を参加させるようになったのは１９８０年のモスクワ大会からだ。

国ごとの得意競技をみると、日本は柔道で、２０１６年のリオデジャネイロ大会までに通算でメダル84個（うち金メダル39個）を獲得している。レスリング、体操、陸上などチームスポーツより個人競技が強い傾向だ。

韓国では柔道よりテコンドーが強かった？

韓国は、冬季五輪のメダル数が3国でいちばん多い。ただし内訳はほぼスケートで、スキーやスノーボードのメダルはまだない。夏季の競技では、アーチェリーで金メダルを19個獲っている。

韓国発祥のテコンドーでは合計14個のメダルを獲っているが、柔道とレスリングのメダル数のほうがそれぞれ倍以上と多い。テコンドーは1988年のソウル大会で導入され、やや歴史が浅いためだろう。

中国の得意競技といえば卓球というイメージが強く、実際にメダル数は合計53個で、ほかに水泳の飛び込み、重量挙げ、体操などで卓球より多くメダルを獲得している。

なお、サッカーやホッケーなど団体競技のメダル獲得数が少ないのは、東アジアでは3国とも共通だ。

オリンピックのメダル獲得数（2018年まで）

日本	韓国	中国
夏季:441	夏季:264	夏季:543
冬季:58	冬季:70	冬季:62

出典：PRiVATE LiFE エンタメデータ&ランキング「オリンピック 国別メダル獲得数ランキング」

文化

02 民族・言語

共通性の多い日本語と韓国語。古い中国文献の解読なら日本人が有利？

日本語と韓国語のルーツは中国語とは別

現在、日本では日本語を話す日本人が99％以上を占める。ただ、中世までは同じ日本語でも、九州、畿内、関東などの地域差が非常に大きかった。沖縄の琉球方言は、文法や語彙《ごい》がある程度は本土の日本語と共通するが、蝦夷《えぞ》地（北海道）で使われるアイヌ語は系統の異なる言語と考えられている。

古代の日本は大陸から多くの文化を吸収したが、言語の構造は異なる。中国語は英語と同じ「主語→動詞→目的語」という順序だが、日本語はたとえば「私は　ご飯を　食べる」というように、「主語→目的語→動詞」となる。これは韓国語（朝鮮語）と同じだ。このため、日本語と韓国語はいずれも中国語とはルーツが異なり、言語学的にはシベリアや中央アジアで使用されるアルタイ語圏に属するという説もある。

書き言葉には漢字の影響

中国語と構文が異なる日本語と韓国語だが、語彙は漢語に由来するものが多く、発音も似ている。たとえば「短距離」は韓国語では「タンゴリ」、「博士」は「パクサ」となる。

平安時代の10世紀にかな文字が確立され、韓国では15世紀にハングルが成立した。日本も朝鮮半島も近世まで上流階級が公式文書で漢文を使っていたので、通訳がいなくても漢文の筆談で話ができた。

日本語と韓国語で発音が似ている単語

日本語	韓国語	読み
家族	가족	カゾク (カジョク)
簡単	간단	カンタン
約束	약속	ヤクソク
記憶	기억	キオク
家具	가구	カグ

ちなみに、韓国人は「ざ」や「つ」を発音するのが苦手で、餃子は「ギョウジャ」、暑いは「あちゅい」に聞こえる。

同じ中国語でも地域差は大きい

中国は人口の約92％を漢民族が占めるが、ほかにチワン族、ホイ族、満洲族、チベット族、ウイグル族など、55もの少数民族がいて、それぞれの言語がある。ただし現在は少数民族固有の言語や文字の多くは衰退しており、たとえば、満洲語を使える人は数千人しかいないともいわれる。

さらに、同じ中国語でも発音は地域ごとに大きく異なる。普通語（北京語）では、あいさつの言葉は「ニイハオ」だが、香港などで使われる広東語《カントン》では「ネイホウ」、南方の福建語《ふっけん》では「リーホウ」となる。

現在の中国語の書き言葉は、識字率向上のため導入された画数の少ない「簡体字《かんたいじ》」が基本だ。このため、古典文献を研究する場合は「繁体字《はんたいじ》」を学び直す必要がある。日本や台湾は繁体字が基本なので、今は皮肉にも日本人のほうが漢文の古典を読解しやすいともいえるのだ。

民族構成

日本	韓国	中国
日本人 （日本語を話す日本人） （99％以上）	韓民族 （朝鮮族） （99％以上）	漢民族 （約91.5％） 55の少数民族 （約8.5％）

出典:「外務省　各国情報」

文化

03 世界遺産

世界遺産の再建で失敗した韓国。中国はじつは登録数が世界一

登録件数はヨーロッパの遺跡大国と同格

ユネスコが定める世界遺産の総数は、文化遺産と自然遺産、自然・文化の複合遺産をふくめて、すでに１１００件以上にのぼる。

東アジアでは、まず中国の泰山《たいざん》、万里の長城、秦の始皇帝陵など6カ所が、１９８７年に登録された。２０１９年時点で中国の登録数は55件、これは古代ローマ帝国の遺跡が多数あるイタリアと同数で、イタリアとならび世界トップだ。

近年登録されたものでは、壮大な無人の草原が広がる自然遺産の青海可可西里《チンハイココシリ》、新石器時代の古城が発見された良渚《りょしょ》古城遺跡、19世紀に西洋列強が交易の拠点を建設した厦門《アモイ》の歴史的共同租界鼓浪嶼《ころうしょ》などがある。中国の旅行会社は、新しく登録された世界遺産の観光ツアーを積極的に組んでおり、商売にも余念はない。

再建作業で思わぬ失敗も

韓国では2018年に、7〜9世紀に築かれた山寺《サンサ》、山地僧院、2019年に李氏朝鮮時代の学校にあたる書院、新儒学の教育機関群などが世界遺産に登録された。

2015年に登録された百済歴史地域の遺跡では、その15年前から7世紀の寺院の石塔を再建しようとした。しかし、安全性の面から設計を変更し、建設当時とは異なる石材を用いた結果、当時の姿とは別物になってしまい、問題視されている。

万里の長城の長さは2万1196kmといわれており、地球半周分の長さがある。

「負の歴史」を刻んだ文化遺産も

日本では、1993年に法隆寺地域の仏教建造物、姫路城などが初めて登録された。近年では、富士山や長崎と天草地方の潜伏キリシタン関連遺産、大山古墳（仁徳天皇陵）をふくむ大阪の百舌鳥《もず》・古市古墳群などが登録されている。

2015年には、明治日本の産業革命遺産として製鉄・製鋼、造船、石炭産業が登録された。そのなかのひとつ「軍艦島」の通称で知られる端島《はしま》炭鉱では、戦時中に劣悪な環境で酷使された労働者が多かった。しかも、朝鮮半島から徴用された人も大量にふくまれていたとして韓国政府が登録に難色を示した。結局、展示に当たって炭鉱労働者の待遇について記されることになった。

また、1996年には、戦争の記憶を伝える広島の原爆ドームも登録された。世界遺産に登録されるのは、必ずしも歴史の美しい側面のみを反映するものとは限らないのだ。

世界遺産の数(2019年)

出典：世界遺産（TBSテレビ）「世界遺産リスト」

文化

04 祝日

日本よりも連休が多い中国。だが仕事を休めるとは限らない

新年より盛り上がるのは旧正月

祝日は年によって変動がある。日本では、2019年は5月1日の「新天皇即位日」と10月22日の「即位礼正殿の儀の日」が休日となった。2020年には2月23日に天皇誕生日が新設された。例年10月の「体育の日」を「スポーツの日」と改称し、さらに特例で東京オリンピック開催（予定）に合わせて7月23日に移動した。

現在の日本は、季節の節目の祝日を新暦に合わせている。一方、韓国と中国では、元旦と旧暦の正月を祝日にしている。「春節《しゅんせつ》」と呼ばれる中国の旧正月は7連休で、派手に爆竹や花火を鳴らして新年を祝う。例年、実家に帰省したり海外に旅行したりする者も多い。2020年には新型コロナウイルスの流行で旅行者が激減したが、春節では多くの中国人が日本をはじめ外国へ移動した。韓国と中国の祝日は旧暦の

中秋節（10月）も共通で、中国では国慶節（建国記念日）と合わせて8連休となる。

祝日も働かざるをえない中国の労働者

中国では2021年の祝日数は、土曜・日曜と重なる分を差し引くと、実質的に18日になる。ただ、企業の有給休暇日数は日本より少なく、実際には休日出勤する人もいる。

韓国では、正月や中秋節《ちゅうしゅうせつ》のような古くからある祝日以外に、かつて日本から独立運動が起こった3月1日、独立を果たした8月15日（光復節《こうふくせつ》）、釈迦の誕生日（旧暦の4月8日）、キリストの誕生日であるクリスマス（12月25日）などが祝日となっている。

近年は非公式な記念日も増えてきた。韓国では11月22日は「キムチの日」。日本では11月11日が「ポッキーの日」とされているが、中国では「独身の日」と呼ぶ。こうした記念日は今後もいろいろ生まれてきそうだ。

出典：トレンドタウン.info、KONEST、Holidays-Calendar.Net

文化

05 姓

韓国は人口の2割が金さん！日本はもともと夫婦別姓が基本だった

同じ姓が多いため地域名で区別する

日本の姓は漢字2文字以上が多くて、30万種類もある。1位の「佐藤」は約190万人、10位までの姓（鈴木、高橋、田中、伊藤、渡辺、山本、中村、小林、加藤）を全部足しても人口の10％ほどだ。

一方、韓国人の姓は、発音に従えば200種類ほどである。トップの「金」だけで人口のじつに約20％を占め、さらに10位までの姓（李《リ》、朴《パク》、崔《チェ》、鄭《チョン》、姜《カン》、趙《チョウ》、尹《イン》、張《チョウ》、林《リン》）が人口の約60％になる。かつては、発音が同じ「イ」でも漢字で書くと「李」と「伊」があり、同じ「パク」でも「朴」と「博」などのちがいがあったが、現在はハングル表記が音しか表さないため、姓の区別が困難になっている。同じ金氏でも「慶州《キュンジュ》金氏」と「金海《キメ》金氏」など、出身地で区別をつける場合が多いという。

1文字の姓を合わせて2文字とする人も

中国人の姓は約4000種類といわれ、1位の「李」が約9500万人もいる。以下10位までの王《おう》、張《ちょう》、劉《りゅう》、陳《ちん》、楊《よう》、趙《ちょう》、黄《こう》、周《しゅう》、呉《ご》の姓と合わせると約5億2930万人。人口の約40%を占める。司馬、諸葛など2文字以上の姓もあるが、100位以内に入らない少数派だ。

そして、韓国と中国は夫婦別姓が基本。結婚後も妻の父親の家を重んじて姓を残す儒教文化の影響だ。たとえば、中国の習近平《しゅうきんぺい》主席の妻は彭麗媛《ほうれいえん》という。香港行政長官の林《りん》鄭《てい》月《げつ》娥《が》は、一見「林鄭」という2文字の姓のようだが、夫の姓の「林」と自分の姓の「鄭」を続けて記している。

結婚を機に夫婦同姓とするのはもともと西洋の習慣で、じつは日本も明治期に民法が制定されるまで夫婦別姓が基本だった。日本でも選択的夫婦別姓が検討されているが、これはむしろ東洋古来の習慣に戻ることになる。

多い姓のベスト3

日本（2019年）	韓国（2015年）	中国（2017年）
①佐藤	①金	①李
②鈴木	②李	②王
③高橋	③朴	③張

出典:『日本人　中国人　韓国人』金文学ほか

文化

06 スマートフォン

世界のスマホの半分は韓国か中国製！でも中高生のネット依存は日本以下

韓国・中国のスマホ利用率はアメリカより上

ハイテク機器を得意とする日本で、他国から大きく遅れた分野がある。スマホだ。その利用率は韓国では92％、中国では83％におよぶのに対し、日本はまだ64％にとどまる。これは、先進国がゼロから開発したものが新興国で後から普及するパターンの典型といえる。じつは、アメリカのスマホ利用率も78％しかない。つまり韓国と中国は、欧米の主要先進国よりもスマホが定着しているのだ。

現在、スマホの世界シェアは韓国のサムスン電子がトップで約21％を占める。2位はアメリカのアップル、3位は中国のファーウェイでどちらも約15％、4位の中国メーカーのシャオミと5位のＯＰＰＯを合わせれば両国のシェアは約30％になる。

かつてサムスンは中国市場で上位を占め健闘していたが、中国メーカーの躍進に押されている。その結果、2018年に中国での工場生産を停止した。中国メーカーでは、シャオミが2019年に両面スクリーンのスマホ端末「MixAlpha」を発表するなど、技術力や独自性でも外国メーカーの先を行きつつある。

10代のネット依存は日本のほうが上?

スマホが普及したことによって若者のネット依存がたびたび問題視される。今やスマホ先進国の韓国と中国は、日本以上にネット依存が多いかと思いきや、答えは意外だ。

1日4時間以上ネットを使う中学生は、日本では10・5%、韓国では16・4%だが、中国は1・4%にとどまる。高校生になると、日本は17・6%、韓国は15%、中国は5・9%と、むしろ日本がもっとも多くなっている。韓国は受験競争がきびしく、中国は学校の宿題が極端に多いので、ネットにかまけている時間もないという状況らしい。

スマホ利用率(2019年)

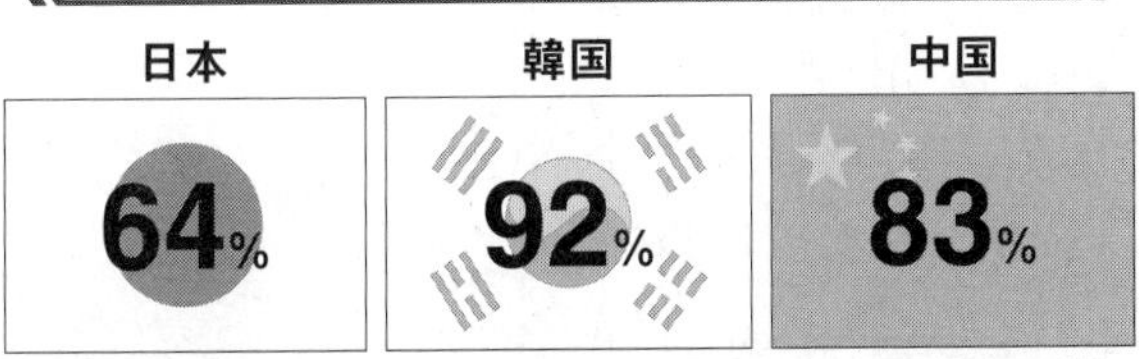

出典:AUN CONSULTING,Inc.(アウンコンサルティング株式会社)「世界40カ国、主要OS・機種シェア状況」

文化

07 SNS

「つながり欲」は日本よりも強い？88％が利用する中国産SNS

韓国より日本で人気のLINE

昨今、日常的なコミュニケーションツールになっているSNSだが、どれをメインで使う人が多いかは国によってバラバラだ。2021年には音声SNSのClubhouseが一部のビジネスパーソンの注目を集めたが、東アジアでの利用者はまだ少ない。2016年のデータでは、日本ではFacebookの利用率が約35％、Twitterの利用率が約29％で、もっとも多く使われているのはLINEの約45％だ。仕事で使われるケースも多いが、外部に公開せず仲間内だけでの通話・トークというシステムが、日本人の内輪にこもる気質に合っているのだろうか。

LINEは韓国発のSNSで、韓国での利用率は約20％だ。韓国ではカカオトークが人気で、利用率は約76％。日本より先にスマホが普及した韓国では、Face ｂｏｏｋとＴｗｉｔｔｅｒの利用率も日本より高い。

中国でも海外のＳＮＳ利用者はいる

中国政府は諸外国の中国批判が国民の目に触れないようにするため、海外サイトの多くを遮断している。だが、外国のサーバーを経由するなどの方法で、海外のＳＮＳをこっそり利用している人もおり、Ｆａｃｅｂｏｏｋの利用率は約16％、Ｔｗｉｔｔｅｒの利用率は約9％となっている。

中国にも国産ＳＮＳとしてＦａｃｅｂｏｏｋとよく似た人人網があるが、利用率は約24％にとどまる。Ｔｗｉｔｔｅｒとよく似た微博《ウェイボー》の利用率は約55％。だが、これ以上によく使われているのは、ＬＩＮＥとよく似たチャットツールの微信《ウェイシン》だ。利用率はなんと88％で、ＬＩＮＥと同じく短文でのやりとりなので日常的に気軽に使う人が多いようだ。韓国も中国も国産ＳＮＳはそれなりに盛況だが、日本の国産ＳＮＳはチャット機能の導入が遅れて目立たない。

SNS利用率(2016年)

	日本	韓国	中国
Facebook	35.3%	69.3%	16.1%
LINE	44.9%	20.2%	4.0%
Twitter	28.7%	33.0%	9.4%

出典：総務省情報通信国際戦略局情報通信経済室「IoT時代における新たなICTへの各国ユーザーの意識の分析等に関する調査研究の請負」

EAST ASIA REPORT 08

北朝鮮・台湾の文化

～ナゾだらけな北朝鮮のIT事情～

海外の情報を遮断している北朝鮮だが、国をあげてハッキングなどを行なうサイバー工作員は育成している。アメリカの研究機関によれば、2017年の携帯電話の加入数は約400万台（総人口の6分の1）で、5年前から4倍も増えたという。「万物商」という独自のネットショップもあるそうだが、利用状況や取り扱っている商品などの詳細はナゾだ。

～台湾の公用語は北京語～

台湾で使われる公用語は中国と同じ北京語だ。

1949年に共産党政権が成立するまで南京を支配していた国民党が台湾に逃れ、政治の主導権を握ったためだ。ただし、台湾語は対岸の福建省の方言の影響も受けている。なお、一部では高砂族と呼ばれた先住民の言語も使われている。また、日本統治時代に教育を受け、日本語を話せる高齢者も多い。

金

データ09

日本・韓国・中国の お金・経済

コロナ禍からの立ち直りが期待される3国の経済

政治的な対立を抱えつつも、密接な関係の東アジア各国の経済。日本と韓国は中国に振り回される立場だ。

● 株高で高配当でもお金が動かない日本

日本の景気は回復しているのか？　いないのか？　経済ニュースでは諸説が入り乱れている。日本の企業が抱える内部留保（純利益、不動産、証券など）の総額は約500兆円といわれ、2019年には平均株価が2万3000円台にまで高騰した。ただ、株高は政府が公的資金を投入した官製相場による面が大きく、企業や株主が大量にお金を持っていても、そのお金が世の中に回らなければ景気は向上しない。

一方、賃金の低い非正規雇用者の増加、消費税の増税、社会全体の高齢化による将来への不安などから、消費は伸び悩み、ＧＤＰ（国内総生産）は低成長が続いている。

２０２０年にはさらに、中国に端を発したコロナウイルスの蔓延が新たな不安材料に加わった。このため、百貨店や飲食店などが営業時間の短縮を余儀なくされたほか、多くの消費者が外出を控え、旅行、映画、スポーツ観戦ほかあらゆる分野で国内消費が大きく落ち込むことになった。

加えて、かねてより政府が期待をかけていた外国人観光客によるインバウンド収入にも影が差している。国内消費と外貨獲得をいかに復調させるか、見通しはまだ立っていない。

コロナ禍でも半導体の輸出で首をつなぐ

21世紀に入って以降、ＩＴ大国として成長した韓国。だが、その経済構造は不安定だ。日本はＧＤＰに占める輸出の割合が約15％だが、国内市場が小さい韓国はそれが約35％と高めで、貿易への依存度が高い。

輸出先の最大手は中国で約25％、次いでアメリカが約12％。このため、韓国は対立する米中のどちらにつくか、常に揺れている。

2020年度はコロナ禍のため韓国も国内消費が低迷した。ただし、世界的に在宅勤務や学校のリモート授業が広まった影響もあり、パソコンやスマホに使われる半導体の輸出は堅調だった。輸出品目の約18％を占める「半導体頼り」の構造が、偶然にも運良く作用したようだ。

また、表面上はハイテク先進国だが、サムスンや現代などの大企業はトップが独裁者のようにふるまう一族経営だ。血縁や地縁による旧態依然とした派閥意識も非常に根強い。

もっとも、トップの権限が大きいため、日本企業のように会議を重ねて集団での合意を得なくても、トップの即断で大きな取引や新製品の導入がすばやく決定される利点もある。

ＩＴ系の輸出産業に特化し、独裁経営が幅を利かせる経済の構造は、韓国の強みであると同時にリスクともなりえる二面性を持っている。

中国経済は崩壊するのか？　しないのか？

日本国内では「中国経済の崩壊」を予言する雑誌や書籍がよく売れている。実際、２０１０年には年率10％以上あった経済成長率も、近年は６％台に落ちており、２０１５年には上海株式市場で大暴落が起こっている。

中国も日本と同じく、将来的な少子高齢化が経済に影を落としている。さらに、新型コロナウイルスの流行という不安要因が加わった。

とはいえ、14億もの人口が生みだす生産力と市場の大きさは伊達ではなく、人の移動や物流が大きく制限されても、経済成長率は前年比マイナス6・8％にとどまった。新技術が広まりやすい新興国らしく、中国内ではこれを機に医療体制の拡充、物流や商業サービスでのドローンの活用、在宅でのリモートワーク導入などをはかる動きも見られる。

中国の官僚や企業家は、過去の日本のバブル経済崩壊を深く研究しているともいわれる。コロナ禍が中国経済の致命傷となるか、経済が失速してもゆるやかな停滞に収めるか、まだ判断はできない。

お金・経済

01 名目GDP

ひとり当たり名目GDPは、韓国が日本とほぼ同額まで接近中！

コロナ流行下でも微増した中国の名目GDP

2020年の日本の名目GDP（国内総生産）は5兆4887億ドル（520兆161億円）で、韓国は1兆6308億ドル、中国は14兆7228億ドルにおよんだ。新型コロナウイルスの流行で世界的に経済が停滞した同年、アメリカは名目GDPが前年比で約2・3％減少、日本も約1・9％、韓国は約1％の減少を余儀なくされた。だが、政府主導の都市封鎖、感染者の厳格な行動制限などを徹底して感染拡大を抑えこんだ中国は、コロナ下でも名目GDPが約2・7％増加している。

中国が名目GDP（国内総生産）の総額で日本を追い抜いたのは2010年だ。一方、日本はアベノミクス導入の2013年から株式市場が復調したものの、名目GDP総額は2012年の6兆2032億ドルから少しずつ下がっている。

10年で縮まった日本と韓国の差

２０２０年のひとりあたり名目ＧＤＰをみると、日本は４万１４６ドル、韓国は３万１４９７ドル、中国は１万４８４ドルだ。中国との比較では日本はまだ優位だが、韓国との差は縮まりつつある。

10年前の２０１０年の数値をみると、日本は４万５１３６ドル、20年前は３万９１７２ドルで、大きな変化はない。韓国では10年前は２万３０７７ドル、20年前は１万２２６３ドルで、３倍以上も伸びた。

中国の伸び率はそれ以上で、10年前は４５００ドルしかなかった。20年前の額はさらに低く、わずか９５１ドルだ。つまり、20年で10倍以上も伸びている。

中国はコロナ禍の経済混乱からもいち早く回復に向かいつつあるようで、２０２１年１～３月の名目ＧＤＰ成長率は前年同期比で18・３％増とされている。

出典：IMF – World Economic Outlook Databases (2021年4月版)

お金・経済

02 所得格差

年を追うごとに拡大する所得格差。地域間・世代間で広がる貧富の差

大都市と地方では月収に1・6倍の差

一国の所得格差は「ジニ係数」という数値で表され、数字が0に近いほど格差は小さい。先進国は0・3前後で、2016年段階で日本は0・34、韓国は0・36とほぼ同じだ。ところが、中国は0・51とやや大きい。じつは、3国とも悪化傾向が続いており、2005年のデータでは日本は0・25、韓国は0・32、中国は0・47だった。

中国は、国全体の経済成長率は日本のはるか上だが、地域ごとの収入の差は大きい。2018年の月額最低賃金を比較すると、上海の2420元（約3万7400円）に対し、内陸の青海省は1500元（約2万3200円）と、1・6倍以上もの差がある。これはあくまで最低賃金なので、上海のような都市部では、業種によっ

てはもっと高給を得ている人も少なくないだろう。

日本では高齢世帯の増加で不安が拡大

韓国は最低賃金が全国一律だが、地域間より世代間の格差が深刻だ。今や男子の大卒率はほぼ１００％と急速に高学歴化が進んでいるものの、就職先は限られている。どの業界でも経験者が優遇される状況にある。２０１９年には最低賃金を前年より10・９％も引き上げたが、企業の負担が急に重くなり、経済の混乱が続いている。

日本では若者の貧困に加えて、今後は高齢化の影響も懸念される。65歳以上の人口が約28％で、韓国・中国の２倍以上だ。資産が不十分なまま退職した高齢世帯が増えれば、そのまま貧困層の増加につながる。しかも、増税により、可処分所得（手取り収入）が少ない層は負担がさらに増えた。日本も最低賃金の引き上げをはかっているが、格差の解消には至らず大きな課題だ。

出典：OECD(Organisation for Economic Co-operation and Development)

お金・経済

03 物価上昇率

「中国は何でも安い」とは限らず!? 国際情勢の影響で物価は変動

値段はそのまま、量を減らす

急激な物価上昇は生活に混乱をもたらすが、順調な経済成長が続いている国はインフレ傾向にあり、物価はゆるやかに上昇を続けるといわれている。

日本銀行は、2013年から「年率2%のインフレ」を目標に掲げている。一般的にモノが大量に売れれば物価は上がるが、賃金の上昇と消費の拡大が進まないため、現在の物価上昇率はほぼ0%だ。とはいえ、多くの企業は採算が苦しく、近年は菓子や飲料などが同価格のまま分量を減らす「シュリンクフレーション」が起こっている。

韓国の物価上昇率は約0・5%だが、2011年には外国通貨に対するウォン安の影響で経済が混乱し、一時的に4%を超えた。日本はGDPに占める貿易の割合が輸出・輸入とも約14%だが、韓国はどちらも30%以上で、食品も工業資源も輸入に依存している。このため、為替レートの変動が物価に大きく影響するのだ。

中国でもぜいたく品は日本より高額化

経済成長が続く中国では、リーマンショックが起こった２００９年、一時的に物価上昇率がマイナスに転じたが、２０１２年以降は２%前後に落ち着いた。

近年、日本と韓国の物価は同水準に近く、たとえば、ビール１缶の価格は日本が２０５円に対し、韓国は１８６円（２０５１ウォン）相当だ。

これが中国では71円（4・51元）相当で、飲食物や日用品は日本より安い。ただし近年は、物価上昇が進み、とくに住居費は高騰している。

また、為替レートや関税の関係で、輸入品の食材や衣料、嗜好品などは高額化している。外国製品は日本で買うほうがおトクなので、中国の買い物客が日本に来ているのだ。

消費者物価上昇率（2020年）

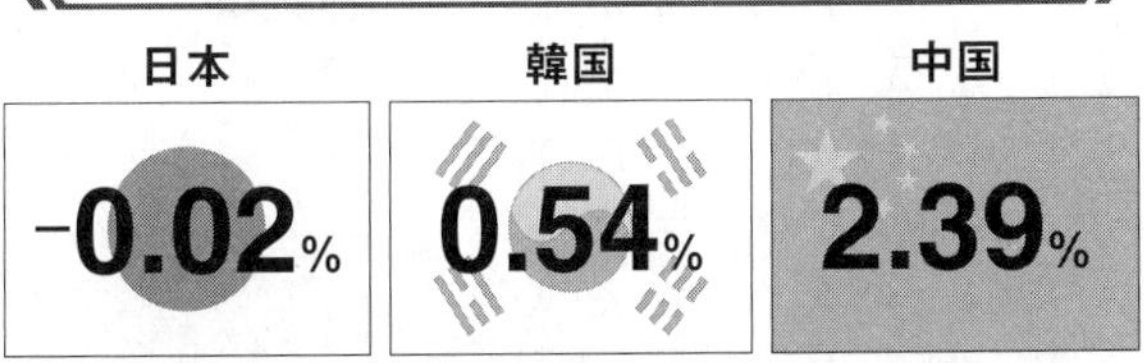

出典：IMF（International Monetary Fund）

04 税率 消費税、増値税、附加税……。呼び名はちがえど税率に大差なし

韓国ではキムチは非課税

日本では、2019年10月から消費税が10%に引き上げられ、同時に食料品や新聞は8%とする軽減税率が導入されたが、計算方法など一部では混乱が起こった。

中国で消費税に当たるのは増値税だ。現在の税率は13%で、食品などの生活必需品は軽減税率の対象となり、9%とされている。

韓国で消費税にあたるものは附加税という。一律10%が基本で軽減税率は導入されていないが、非課税となる対象の種類が非常に多い。たとえば、医療や教育、弁護士や会計士の報酬、土地や不動産、作家の原稿料、芸能人の出演料などだ。なお、加工された食品は基本的に課税対象だが、漬物のキムチは非課税だ。国民すべてに安い値段で提供するべき「基礎生活必需品」とみなされているからだ。

うまく機能しない日本国内の税制特区

企業が納める法人税率は、日本は23・2％、韓国と中国は25％だ。これは基本税率で、各国とも企業の規模や所得によって税率を軽減する細かい規定がある。中国では「国が重点的に援助する必要のあるハイテク企業」は税率が15％と優遇される。また、香港は税率が最大16・5％と低めで、外国企業を呼び込んでいる。

日本では１９９０年代には法人税率が30％台だったが、「税率が高いと企業が海外に逃げる」と判断されて減税がはかられた。さらに、国税庁は２０１５年に地方に本社機能を移した企業を税制で優遇する「地方拠点強化税制」を導入した。人材派遣会社のパソナグループが兵庫県の淡路島に本社を移転したが、制度の導入から約５年間で利用件数は74件しかなく、政府が想定した利用数７５００件の約１％にとどまっている。

消費税（付加価値税）の税率（2019年）

出典：財務省「付加価値税率（標準税率及び食料品に対する適用税率）の国際比較」

お金・経済

05 キャッシュレス決済

韓国ではクレジットカード。中国ではスマホで買い物が主流

出遅れた日本のキャッシュレス化

世界では急速に、「現金を使わない買い物」が主流になりつつある。商取引に占めるキャッシュレス決済の割合をみると、韓国はじつに96%以上！　中国でも約66%におよんでいる。だが、日本は2019年時点でいまだに26・8%だ。

ひとくちにキャッシュレスといっても、国ごとに事情は異なる。韓国で普及しているのは、おもにクレジットカードだ。韓国は1997年の通貨危機で経済が停滞したため、個人消費を刺激しようとカードの審査や引き出し制限額を大幅に緩和した。その結果、カード決済が普及した。年商2400万円以上の店舗は、会計のクレジットカード対応を義務づけられている。2018年には、決済手数料がゼロの簡易なモバイル決済サービスのZEROpayが登場し、好評を博している。

中国ではスマホとほぼ同時に普及

中国ではスマホを利用したQRコード決済が主流で、アリババグループによる「Alipay（支付宝）」と、テンセントによる「WeChat Pay（微信支付）」が代表格。これらが普及した要因は、ガラケーを飛び越して一気にスマホが広まったことが大きい。

また、クレジットカードと異なり、利用者がスマホを持っていれば、お店はレジ機器を新調するコストも不要。最近は商店主が「小銭が使えなくなる！」と焦り、大量の古い硬貨を銀行などで両替することがあるという。

日本でも2018年からソフトバンクとYahoo！JAPANによる電子決済の「PayPay」のサービスなどが続々スタート。政府も2025年までにキャッシュレス決済比率を40％にまで引き上げるという目標を掲げている。とはいえ、現金決済を好む人は多く時間がかかりそうだ。

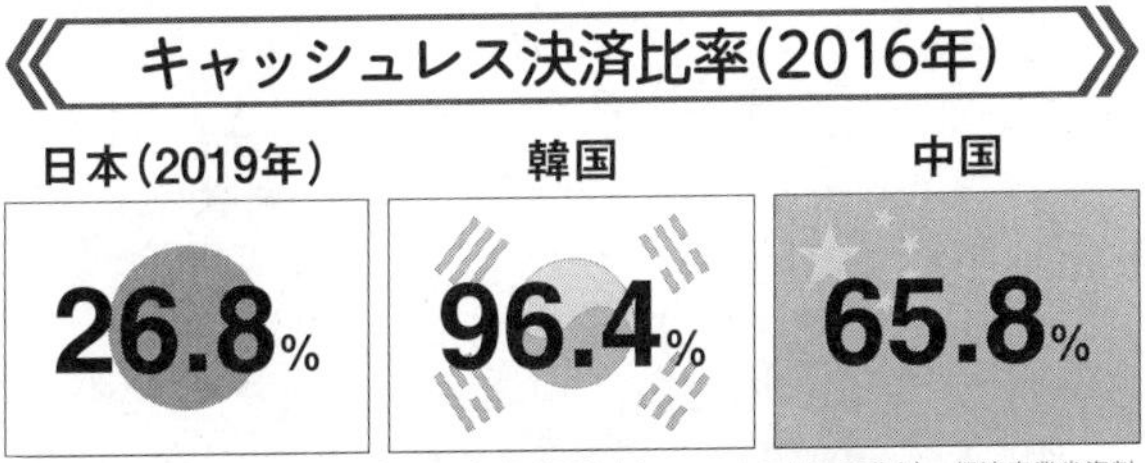

出典：「キャッシュレス・ロードマップ2019」（一般財団法人キャッシュレス推進協議会）、経済産業省資料

06 富裕層

富豪の総数はアメリカを追い越し、世界ランキング上位に食い込む中国

アジア１位の富豪は個人資産７兆円以上

日本、韓国、中国を代表する大金持ちはだれか？　アメリカの経済誌「フォーブス」が毎年発表する世界長者番付をみると、アマゾン・ドット・コムのジェフ・ベゾス会長など、アメリカ人が上位の多くを占める。２０２０年度のアジア人の最上位は、13位の鍾睒睒《ゾンシャンシャン》だ。中国の大手飲料メーカー農夫山泉（Nongfu Spring）の創業者で、新型コロナウイルスの流行のため健康志向が高まったことを背景に売上を伸ばし、資産は６８９億ドル（約7兆５１００億円）にもなる。

日本のトップは、ソフトバンクグループ会長の孫正義で世界29位、資産は４５４億ドルだ。韓国のトップは、製薬・バイオテクノロジー企業のセルトリオンの創業者である徐延珍《ソジョジン》で、世界１４５位、資産は１４７億ドルとなる。

このほか、中国では大手ＩＴ企業のテンセント（騰訊）ＣＥＯの馬化騰《マーファテン》、日本ではファーストリテイリング会長の柳井正が上位の常連だ。長年、韓国のトップの富豪はサムスン電子会長の李健熙《イゴンヒ》だったが、２０２０年に急逝した。

今や世界一富豪が多いのは中国？

スイスの大手金融機関であるクレディ・スイスの調査によれば、２０１９年には世界の上位10％に入る富裕層の数は、中国ではなんと1億人にのぼる。国籍別ではついにアメリカを抜いて世界1位となった。

もっとも、世界の富裕層のなかでも、４６８０万人しかいないミリオネア（資産１００万ドル以上）の国籍では、アメリカが40％とダントツで、中国は10％にとどまる。これに次いで日本は6％だ。韓国は2％だが、この数値は人口大国のインドや、ヨーロッパ屈指の金融立国であるスイス、オランダとも肩をならべている。

世界長者番付の各国トップ（2020年）

出典：Forbes「WORLD'S BILLIONAIRES LIST The Richest in 2020」

07 トップクラスの企業

世界トップテン内を占めるのは中国企業！上位に食い込む企業の顔ぶれは？

収益ベストテンで中国企業が最多に

アメリカの経済誌「フォーチュン」の調査による世界の企業収益ランキングをみると、２０１９年の第1位はアメリカの小売店チェーン、ウォルマート。以下は中国企業がならぶ。2位に中国石油化工集団、4位に中国石油天然気集団、5位に国家電網と、はじめてベストテン内で中国企業が最多となった。

中国石油化工集団と中国石油天然気集団は、いずれも国有の石油、天然ガス関連企業で、欧米や中東の石油会社も傘下に収めている。国家電網は、中国のみならず世界最大の電力会社だ。日本企業は、トヨタ自動車が10位に入っているが、その次は三菱商事が33位。韓国企業の最上位は、サムスン電子の15位だ。

トヨタ自動車は、ドイツのフォルクスワーゲンに次いで自動車産業で世界2位、サムスン電子はＩＴ機器メーカーとしてアップルに次いで世界2位となる。日韓の企業も、分野ごとでは上位に食い込んでいる。

20年間でランクを下げた日本

過去の収益ランキングと比較すると、10年前の２００９年には、欧米の企業が8位までを独占し、日本企業のトヨタ自動車が10位だった。ベストテン内の中国企業は中国石油化工集団が9位に入っているのみで、韓国のサムスン電子はまだ40位だった。

さらに20年前の１９９９年は、ベストテン内にトヨタ自動車のほか、三井物産、伊藤忠商事、三菱商事と日本企業が4社。中国石油化工集団は73位、サムスン電子は１０２位だった。21世紀に入って以降の中国企業と韓国企業の急成長がうかがえる。そして日本は、この20年で中国に取ってかわられてしまった。

「フォーチュン」「グローバル500」の上位企業(2019年)

日本	韓国	中国
トヨタ自動車	サムスン電子	中国石油化工集団有限公司(中国石化)
10位	15位	2位
(収益 2726億1200万ドル)	(収益 2215億7900万ドル)	(収益 4146億4900万ドル)

出典：Fortune Global 500(2019年版)

EAST ASIA REPORT 09

北朝鮮・台湾のお金

～北朝鮮の軍事資金はどこから？～

日本や欧米から経済制裁を受けつつ、弾道ミサイル開発に余念のない北朝鮮。その資金は、闇のルートで集められる。一部は、中国や東南アジアへの出稼ぎ、地下資源や海産物、違法な薬物などの密輸出、仮想通貨取引などで稼いでいる。タングステンやマグネサイトなど希少な鉱物資源の埋蔵量も多く、北朝鮮に目をつけている海外企業も少なくない。

～躍進する台湾の大企業～

2016年、台湾の鴻海（フォックスコン）が日本のシャープを買収し大きな話題となった。鴻海の年間売上は4兆ドルを超え、日本の三菱商事や本田技研工業にも勝る。このほか、電子機器メーカーの和碩（ペガトロン）、半導体メーカーのTSMC、PCメーカーの広達（クアンタ）なども世界的企業として知られ、日本の大手企業との取引も多い。

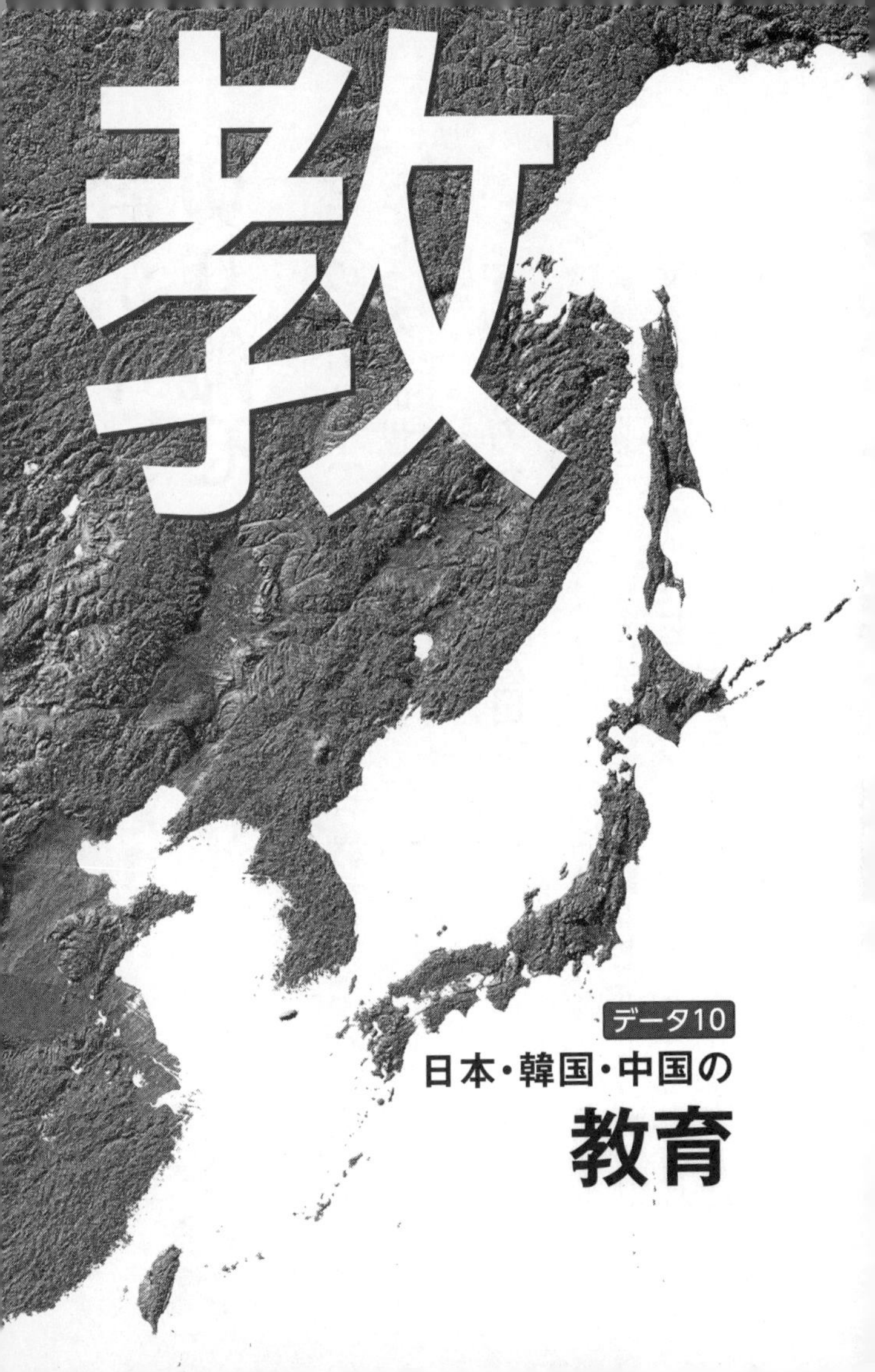

データ10

日本・韓国・中国の
教育

経済や政治の問題と切り離せない教育

日本の学力低下、韓国や中国の反日教育には、じつのところ大人の世界の事情がからんでいる。

読解力が低下した日本

２０２０年度から大学入学共通テストに導入されるはずだった英語民間試験は見送りとなった。資金に余裕のある生徒が有利だという批判に対し、文部科学大臣が「身の丈に合わせてがんばればよい」と発言。「経済格差を容認するのか?」と非難されたためだ。実際、東京大学の合格者の親の６割以上が年収９５０万円以上というデータもある。いい大学に入る子どもの家は収入が高いケースが多い。

一方、日本の学力低下は深刻でＯＥＣＤが実施するＰＩＳＡ（国際学習到達度調査）の「読解力」の分野で２００９年には８位だったが、２０１８年に15位と大幅に順位が落ちた。貧困層の子どもは大学に進学できず、低賃金の職にしか就けない。さらに、その子どもの世代に貧困が受け継がれる。

２０２０年には新型コロナウイルス流行のため、多くの教育機関が、オンライン授業を導入しはじめた。これにともない、生徒が勉強の方針や学友との関係について教師と直接相談する機会が減ったり、生徒の家庭によってオンライン授業で使うパソコンやインターネット回線の充実度に格差が生じたりするなど、新たな課題も浮上している。

一方的な教育で割を食うのは若い世代

今や教育大国といえるのが韓国だ。何しろ男子の大学進学率は、ほぼ１００％である。その陰で、小学生から複数の塾に通いつめたり、深夜まで体育や音楽の授業を受けるなど、度を越した教育熱がある。教育熱の一因は、学歴がないとなかなか出世できない社会構造の問題だ。とはいえ、苦労して良い大学に入っても就職先は限られているので、名門大学を卒業したものの、非正規雇用という人も少なくないという。

韓国の反日教育は韓国国内の世代間対立も関係している。1960～80年代の韓国は、戦前に日本の統治下で教育を受けた世代が政治や経済をリードし、軍による独裁体制で国民を弾圧する一方、日本との協調による産業開発を進めた。

だが、その後の民主化運動を進めた現在の50～60代は、軍事政権時代の指導者を批判する意識が強いため、過去の日本との関わりにも極度に否定的なのだ。もっとも、2019年にはソウル市内の高校生150人が、「学校から反日行為を強要された」と抗議するなど、一方的な反日教育への反発も起こっている。

経済成長して学力も伸びた中国

教

韓国に劣らず、中国でも急速に教育熱が高まっている。先に触れた2018年度のPISAでは、「読解力」「数学的リテラシー」「科学的リテラシー」の3分野でいずれも中国がトップを占め、世界を驚かせた。

この背景にあるのが、国の経済成長で、各家庭が教育にお金をかけるようになったのが要因だ。受験競争も激化する一方で、成績順に生徒を座らせる学校もあるという。

中国も、日本への批判をふくんだ愛国教育を徹底している。韓国とは逆で、中国政府は1980年代末に民主化運動を徹底弾圧した。その後も、若い世代が反抗しないように、過去の戦争での日本に対する勝利を強調し、政府の方針や民族主義を正当化する教育を広めた。

新型コロナウイルスの流行を機にオンライン授業が広まったのは、中国も同様だ。中国は一人っ子の場合が多いため、親の教育熱も高い。子どものパソコンに惜しみなくお金をかける親もいれば、自宅のインターネット環境が不充分な親は、子どものために職場のパソコンを借りる事例もあるという。

教育

01 若者の意識

自己肯定感が低い日本の高校生。中国の高校生は自己肯定感高め

早くから将来の希望が明確な韓国の若者

学力自体もさることながら、生徒の学習意欲や将来への希望、自信といったメンタル面も学校教育では無視できない。

「自分の将来に不安を感じている」という高校生の割合を比較すると、日本の約75%、韓国の約72%に対し、中国は約45%だ。日本と韓国は差があまりない、経済が上り調子にみえる中国は、若者も自信があることがうかがえる。

また、「将来、働きたい職業分野で専門職として活躍したい」という高校生の割合は、日本は約65%、中国は約70%だが、韓国は約91%となっている。日本では10代ではまだ進路を明確にしていない生徒が多いが、受験競争がきびしい韓国では、早くから自分の進路や生き方を考えている若者が多いようだ。

「自分はダメだ」と思う高校生が8割もいる日本

高校生に対する意識調査では、韓国・中国よりも断然日本のほうが数値が高い項目がある。それは「自分はダメな人間だと思うことがある」という人の割合で、韓国の約53％、中国の40％に対し、日本は約81％におよんでいる。

これは、日本人の謙虚さの表れとも解釈できる。加えて、日本では自己主張より空気を読んで周囲に同調することが重んじられる傾向が影響しているようだ。

また、内閣府の2019年版『子供・若者白書』によれば、日本、韓国、アメリカ、イギリス、ドイツ、フランス、スウェーデンの7カ国の13〜17歳に対する意識調査で、「自分には長所がある」という項目に「そう思う」と答えた層が日本16・3％で、韓国の約半分、アメリカの3分の1以下だった（中国では行なわれていない）。自分に何ができるかわからない若者が多いのだろう。

《「自分はダメな人間」と思う高校生(2019年)》

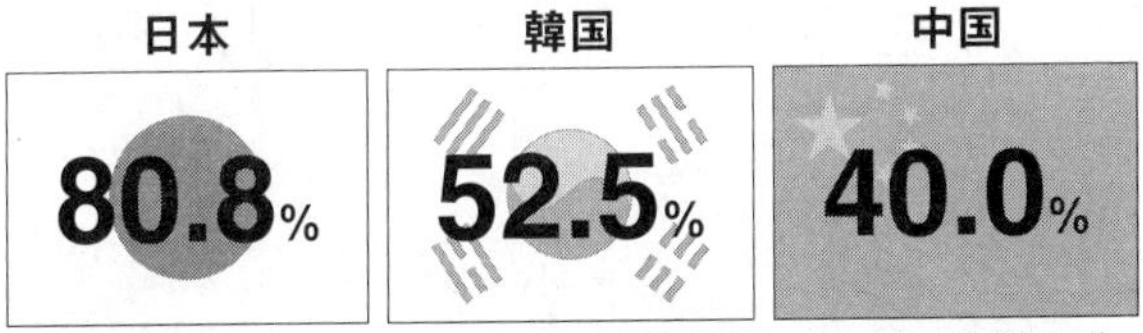

出典：国立青少年教育振興機構「高校生の留学に関する意識調査報告書　–日本・米国・中国・韓国の比較–」

教育

02 教員

受け持つ児童・生徒の数は同じでも、日本の先生は韓国・中国よりいそがしい

授業以外の仕事が多すぎる日本の教師

小学校での教員ひとりあたりの児童数は、日本では平均15・7人、韓国では16・3人、中国では16・6人だ。つまり、3国にあまりちがいはない。なお、2010年の数字は、日本は17・8人、韓国は20・9人、中国は16・8人なので、そろって減少しているが、韓国はとくに少子化が進んでいることが読みとれる。

中学校、高校の教員ひとりあたり生徒数も、3国でそれほど大きな差はない。だが、日本の先生は激務とされる。なぜか？　日本の先生は授業のほかにも、放課後の部活や、運動会や文化祭とその練習など、年間行事に関係する仕事が非常に多いためだ。ところが、韓国と中国の学校では部活がそれほど活発ではなく、運動会のようなイベントも行なわれないか、あっても小規模な場合が多いのだ。

「党中央」が教員を細かく統制

韓国は1987年まで軍事独裁政権だったので、全国の教員を政府が一元的に管理していたが、1990年代以降は地方自治体や学校によって教育方針も多様化した。また、塾やスポーツ教室に通う子どもが多いので、それらの講師が学校の先生より子どもに影響力を持つ場合もある。

一方、共産党の一党独裁体制が続く中国では、今も政府が教育方針を大きく左右している。

2018年には幼稚園、小中学校の教師の質を向上させるため、「教員としての職業道徳に反する行為」が明文化されたが、そのなかには児童に対するセクハラなどとともに、「党中央の権威を失墜させる行為」「党の方針に背く言動」がふくまれている。

このような規定があるということは、政府の方針に批判的な教師がいることの表れでもある。

初等教育の教員ひとりあたり児童数(2017年)

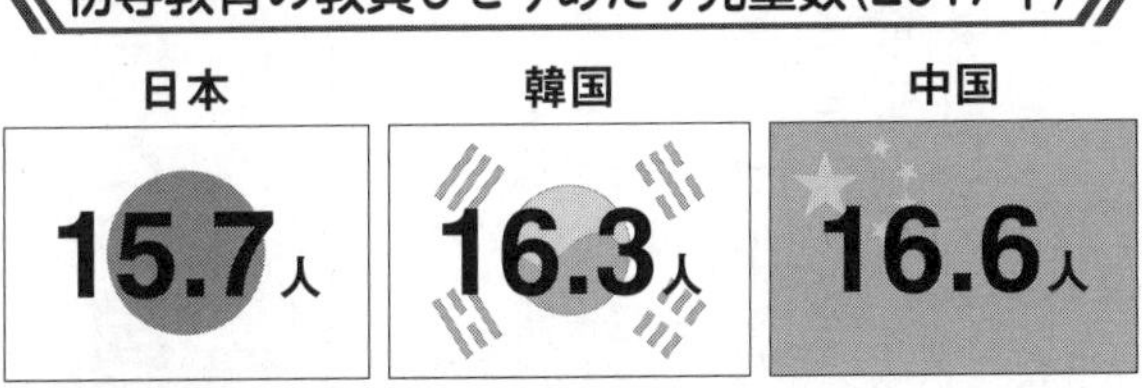

出典：総務省統計局『世界の統計　2020』

教育

03 英語力

低学年から英語教育を開始する韓国と中国。その背景にあるのは貿易収支⁉

日本の英会話力はアジア最下位？

日本では学生の英語力を向上させるという名目で大学入学共通テストへの英語民間試験の導入がはかられ、賛否両論が巻き起こった。導入の是非はさておき、日本が英語教育で韓国や中国に後れをとっているのは事実だ。

英語の民間試験のひとつに、英語圏の大学が外国からの入学希望者の英語力をはかるのに使われるＴＯＥＦＬ（Test of English as a Foreign Language）がある。筆記、リーディング、リスニング、スピーキングの４分野での合計得点を比較すると、韓国の83点、中国の79点に対し、日本は71点。アジア29カ国での順位をみると、韓国が11位、中国が18位に対し、日本は26位だ。とくにスピーキングで日本は17点と、アジア圏では最下位となっている。

中国の都市部では小学1年生から英語教育

3国の英語力は、小学校の段階で差がついているともいえる。日本では小学5年生から英語の授業がはじまるが、韓国では3年生から、中国の都市部では1年生からである。小学校で習う英単語の数は、日本の285語に対し、韓国では450語、中国では700語もある。

韓国と中国の英語熱の高さには、経済のしくみも影響している。世界の貿易収支で中国は1位、韓国は13位、日本はずっと下の173位だ。中国と韓国の経済界は海外を視野に入れたビジネスを意識し、小学校から世界で活躍できる人材の育成をめざしているのだ。

日本も2020年から、小学校の英語教育を3年生から開始し、中学校で習う英単語を1・5倍に増やすなど、英語力向上のための改革がはかられている。どこまで英語力が伸びるか、注目される。

出典:「Test and Score Data Summary for TOEFL iBT Tests」2017

教育

04 自宅学習

家での勉強時間が短い日本。中国は宿題の量が世界平均の3倍！

宿題のため睡眠不足の子どもが続出

学校での授業が終わったあと、家でもさらに猛勉強……という生徒は多いのか？

高校生が宿題にかける時間を比較すると、「1時間以内」と答えた生徒の割合は日本が約51％、韓国が約49％だ。日本と韓国ではこの層がいちばん多いが、中国は約23％しかいない。一方、「3時間以上」と答えた生徒の割合は、日本が約2％、韓国が約4％だが、中国はなんと約28％もいる。

中国では、小中高生が宿題にかける時間が世界平均の3倍といわれ、自宅で勉強して睡眠不足になる子どもが多く、発育や健康への悪影響も懸念されている。子どもの宿題につき合った経験を持つ親も約91％で、精神的・肉体的な疲労もかなりのものになっているようだ。

「部活」の有無が影響する勉強時間

塾通いもふくめて、放課後に宿題以外の勉強をするかという問いに対し、「しない」と答えた高校生は、日本では約24%。韓国では約10%、中国では約8%で、日本に比べると格段に少ない。

日本では放課後、部活動に時間を費やす生徒が多い。韓国と中国は部活がさかんではなく、スポーツや音楽演奏などに打ち込む生徒は、地域や民間企業が運営するクラブに通う。韓国や中国からの留学生のなかには、「日本の学園物アニメに出てくる部活って本当にあるんだ」と驚く生徒もいるという。

宿題以外で1日3時間以上勉強する生徒は、日本では約13%、韓国では約14%、中国では約16%と、差は小さい。新型コロナウイルスの流行後は自宅学習が増えたが、各国とも学習意欲は個人間でばらつきが大きいようだ。

《宿題に3時間以上かける高校生(2017年)》

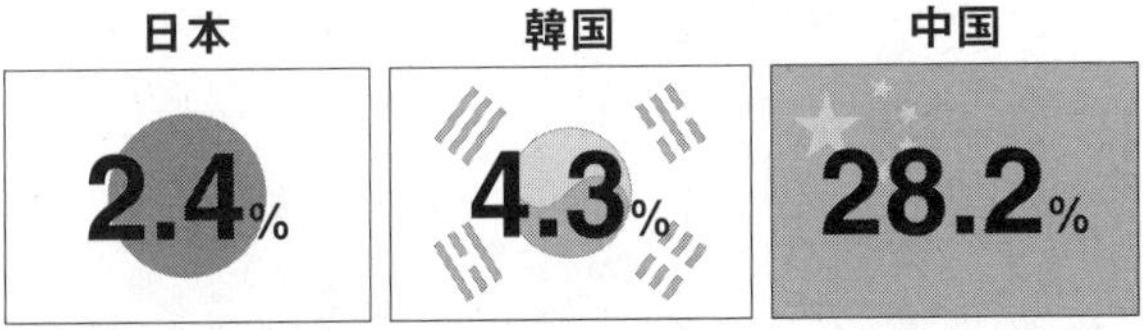

出典:国立青少年教育振興機構「高校生の勉強と生活に関する意識調査報告書 –日本・米国・中国・韓国の比較–」

教育

05 大学進学率

男子の進学率が１００％超の韓国。中国は女子学生の発言力が急上昇

受験を題材とするドラマに国民が熱中

朝鮮半島の支配階級は、中世から武力より勉学を重んじる傾向が強い。さらに近年は男子の場合、高等教育（大学・短大・専門学校）への進学率はなんと１０５％！１００％を超えるのは、成人後の入学者や複数の学校に通う人もふくむからだ。女子の進学率も約81％におよぶ。

受験生となれば1日10時間も勉強するのがめずらしくないが、現在は推薦入試が約7割を占めるという。２０１８～２０１９年には、子どもの受験に熱狂する家族を風刺したテレビドラマ「ＳＫＹキャッスル」が大ヒットした。一方、文在寅《ムンジェイン》大統領の腹心の法務長官が、コネを使って娘を高麗大学に入学させた疑惑が明らかになり、国民の非難を浴びた。庶民はきびしい受験競争にさらされているだけに、不正

入学は許しがたいようだ。

中国の大学ではセクハラ告発

日本では大学などの高等教育進学率は、男女とも60%台だ。学生とその親の悩みのタネは学費で、奨学金で進学しても、返済に苦労するケースが多い。近年は、企業や自治体による給付型の奨学金も増えつつある。

中国の進学率は男子が約46%、女子が約56%と女子のほうが少し高い。この数字は四年生大学だけでなく短期の職業技術学校もふくまれるが、２０１５年末まで続いた「一人っ子政策」の影響で、都市部では女子も一族の大事な跡取りとみなして教育に力を入れる傾向が強い。

中国の大学では政府への忠誠が教育され、反抗的な態度は許されない。しかし、２０１８年には北京大学で教員による過去のセクハラが告発されるなど、学生の権利意識や発言力は欧米と近い感覚になりつつあるようだ。

高等教育の進学率

	日本（2015年）	韓国（2017年）	中国（2018年）
男子	65.1%	104.8%	45.9%
女子	61.3%	82.8%	55.9%

出典：総務省統計局『世界の統計　2019』

教育

06 留学

経済のグローバル化を反映し、韓国・中国で高まる留学熱

人口は半分でも留学者数はほぼ同じ

新型コロナウイルスの流行以降は海外修学も縮小しているが、２０１７年の段階で、日本から海外への留学者数は、年間10万５３０１人にのぼる。

韓国もほぼ同じで年間10万５３６０人だ。韓国の人口は日本の半分以下なので、留学者の割合はじつに2倍となる。国をあげて海外市場への進出に力を入れているためだろう。

中国の年間の留学者数は約87万人だ。人口は日本の約10倍なので、割合ではまだ日本より少し低い。だが、中国最大の市場シェアを持つ検索エンジン「百度《バイドゥ》」を創業した李彦宏《りげんこう》（ロビン・リー）など、アメリカ留学経験を持つ企業家やビジネスパーソンが急速に増えており、今後ますます留学熱が高まるだろう。

3国とも留学先の人気トップはアメリカ

留学先の筆頭は3国ともにアメリカだ。日本からは年間約2万人、韓国からは約6万人、中国からは約33万人がアメリカに留学している。アメリカに来る留学生のうち、約3割が中国人という状態だ。

なお、日本に来る留学生でもっとも多いのは中国人で約11万人、韓国人は約1万7000人となっている。日本から韓国への留学者数は約7000人、中国への留学者数は7100人でほぼ同数だ。

「高校生の留学に関する意識調査報告書」をみると、留学に「興味がある」と「やや興味がある」を合わせた割合は、日本では約51%、韓国では約67%、中国では約58%だった。逆に「まったく興味がない」という人の割合は、日本では約18%、韓国では約6%、中国では約10%となっている。やはり、韓国や中国のほうが「外向き」志向が強いようだ。

出典:独立行政法人日本学生支援機構「協定等に基づく日本人学生留学状況調査」

教育

07 研究者

「博士」になっても就職できない日本。国をあげてノーベル賞をめざす韓国

韓国の研究者は人口比で日本の約2倍

ノーベル賞の受賞者数は、2020年の段階で日本が25人（日本国籍者のみ）、中国が3人、韓国がひとりとなっている。ただし、学術研究での日本の優位は安泰ではない。日本では多くの大学が少子化による収入の減少や政府からの補助金の削減のため、優秀な研究者が育たず、充分な研究ができない環境になりつつある。

2016年の日本の博士号取得者数は1万5040人だ。2008年には1万6735人で、減少傾向にある。とくに減っているのは医学、薬学などの保健系だ。

一方、韓国は2008年の9363人から1万4316人と増加。韓国の人口は日本の約半分なので、割合では日本の倍近い。中国は2016年の数字が5万3360人で、人口が日本の10倍なのを考えれば割合は低いが、増加傾向が続いている。

お金にならない研究では食べていけない日本

日本が学術研究に手を抜いている、というわけではない。GDPに占める研究費の割合は3・2%で、アメリカ（2・79%）やドイツ（3・02%）など欧米の主要国よりも高い。

だが、少子化のため大学が縮小し、民間企業はすぐに利益を出せる分野以外の研究者を雇おうとしない。こうした事情もあり、大学院博士課程を修了したのに就職できない「オーバードクター」が増加し、優秀な人材が困窮するケースが増えている。このままでは、青色発光ダイオードの開発でノーベル物理学賞を受章した中村修二教授のように、海外の大学に活動の場を移す日本の研究者が増えるだろう。

教育大国の韓国は国策で研究者の育成を進め、2018年のGDPに占める研究費の割合は4・53%と世界トップクラスだ。中国はまだ2・19%にとどまるが、2010年の数値は1・71%で、じわじわと伸びつつある。

GDPに占める学術研究費（2018年）

出典：OECD.Stat、『世界国勢図会　2020/21』（矢野恒太記念会）

EAST ASIA REPORT 10

北朝鮮・台湾の学校教育

～5歳から就学する北朝鮮～

北朝鮮の義務教育は満5歳からはじまり、2012年には17歳までの12年間と定められた。小学校も中学校も日本より1歳早くスタートする。これは、1950年代に起こった朝鮮戦争のあと、労働力が不足したためとされる。要は早く世に出したいのだ。現在は、小学校から英語やコンピュータの教育、国家への忠誠心をすり込む思想教育も行なわれている。

～台湾にもある精華大学～

現在の中国のトップ、習近平主席は1911年に設立された精華《せいか》大学出身。じつは、台湾にも同じ流れをくむ国立清華大学がある。

蔡英文《さいえいぶん》総統など台湾の政府高官は、戦前に日本が設立した台北帝国大学を前身とする国立台湾大学の卒業生が多い。台南には国立成功大学があるが、その名は明の時代の武将・鄭成功《ていせいこう》に由来する。

データ11

日本・韓国・中国の
国土・環境

大陸、半島、島国……それぞれの環境意識

自然環境は異なるが、近いだけに互いの汚染対策は気になるところだ。

●海に守られているが災害も海から来る

日本の国土の特徴は島国である点だ。国土面積は世界61位だが、周囲が海なので、水産資源や鉱物資源の採掘が認められる排他的経済水域（EEZ）は世界6位の広さがある。世界には、たとえばロシアとウクライナ、インドとパキスタンなど、陸続きの隣国と軍事衝突が起こる地域があるが、日本は海に囲まれているおかげで直接的な脅威は少ない。国際的な伝染病

環

の流行でも、本来は非常に対策が取りやすいのだ。

そんな国土の内側に目を向けると、近年浮上した問題は多い。2011年の東日本大震災にともなう福島第一原子力発電所の事故で発生した汚染土や汚染水の処理は、いまだに解決していない。大量の避難者が出た被災地のみならず、地方では過疎化が進み、道路や橋などのインフラが老朽化して住むのが難しくなりつつある地域も少なくない。

また、近年は大型の台風が多発し、その被害も甚大化している。二酸化炭素の排出が気候変動の最大要因なのかは諸説あるが、海面水位の上昇、高温多湿化による多雨などが進んでいるのは事実だ。日本は四方を海に囲まれているだけに、沿岸部の災害対策は大きな課題となっている。

韓国や日本にも飛来する中国の汚染物質

日本とほぼ同じ緯度に位置する韓国は、自然の風景も日本と似ており、気候は温帯に属し、山や森が多い。エネルギー資源の多くを輸入に頼っている点も日本と同じだ。もっとも、政府の方針で電気料金が安いためか、再生可能エネルギーの導入はあまり進んでいない。

　韓国では国民の環境問題への関心が低いわけではないが、近年は首都ソウルが大気汚染の深刻度で世界最高レベルという不名誉な立場にある。何しろソウル市内だけで総人口の約5分の1、近郊地域もふくめれば総人口の約半分が密集しているため、工場や交通機関による排気ガスが非常に多くなっている。

　加えて、ソウル一帯には偏西風に乗って中国から黄砂やＰＭ2・5（直径2・5マイクロメートル以下の粒子状物質）などの大気汚染物質が大量に飛んでくる。日本でも九州や中国・四国などでも大きな影響を受けるが、朝鮮半島ではその被害はより深刻なのだ。

進みはじめた環境問題の対策

　国土面積が日本の約26倍もある中国は、亜寒帯、温帯、砂漠、ツンドラの高山帯など、地域ごとに多様な気候だ。下流の川幅が日本の瀬戸内海ほどもある長江《ちょうこう》や黄河《こうが》をはじめ、淮河《わいが》や南部の珠江《じゅこう》などの大河が複数あり、

環

ひとたび水害が起これば、数万人が巻き込まれる可能性もある。

中国は経済発展の裏で環境汚染を放置してきた。砂漠化が進んだり、緑地が減ったりすれば土壌の保水力が低下して、土砂災害が起こるなどの問題が出てきたため、ようやく環境対策がはじまりつつある。

日本では、依然として中国から飛来したと思われるＰＭ２・５が問題となっている。だが、ＰＭ２・５に対する注意喚起の発令は、２０１３年の37件から翌年は13件に減り、完全になくなることはないが、減少傾向が続いている。また、長らく黄河や長江では汚染物質が垂れ流しになっており、各地の省や市が２０１５年ごろから危険な廃棄物の処理に関する条例を次々と導入し、不法投棄はきびしく罰せられるようになった。

２０１０年ごろには、中国ではげ山に緑色のペンキを塗って見た目だけ「緑化」するといったずさんな話が報道された。だが、近年は海外の支援を受けた植林などが進められている。経済発展と環境保護が両立できるか否かで、今後の中国が真の意味で文明国となれるかどうかが決まるだろう。

01 気候 緯度はそれほど変わらないのに、日本と中国の冬は大ちがい

海流の影響で冬も比較的暖かい日本

東京オリンピック・パラリンピックは、開催前から暑さ対策が問題視されている。あまりに高温になることからIOC（国際オリンピック委員会）の決定を受け、マラソン競技は札幌で行なわれることになっている。

一方、2008年に夏季オリンピックが開かれた中国の北京で、2022年に冬季オリンピックが開かれることになっている。盛夏の平均気温は東京が26・4度、韓国のソウルは25・7度、北京は26・7度と、東京と北京はほぼ同じ。だが、厳冬期の平均気温は、東京の5・2度に対し、北京はマイナス3・1度と大きく異なる。

東京との緯度はそれほど大きな差はないが、日本は太平洋岸に暖流の日本海流（黒潮）が流れており、冬でも比較的温暖な気候なのだ。

東京やソウルより雨が少ない北京

海に面しているか否かで、大きく変わるのが降水量だ。

東京の年間降水量は1529ミリで、ソウルはこれより100ミリほど少ない。北京は534ミリと日本の約3分の1しかないが、南部の沿岸にある上海は1157ミリ、香港は2246ミリと沖縄以上だ。香港や上海は日本や韓国の沿岸部と同じく、台風の通り道にある。しかし、北京をはじめ中国の内陸にある都市の大部分は、雨が少な

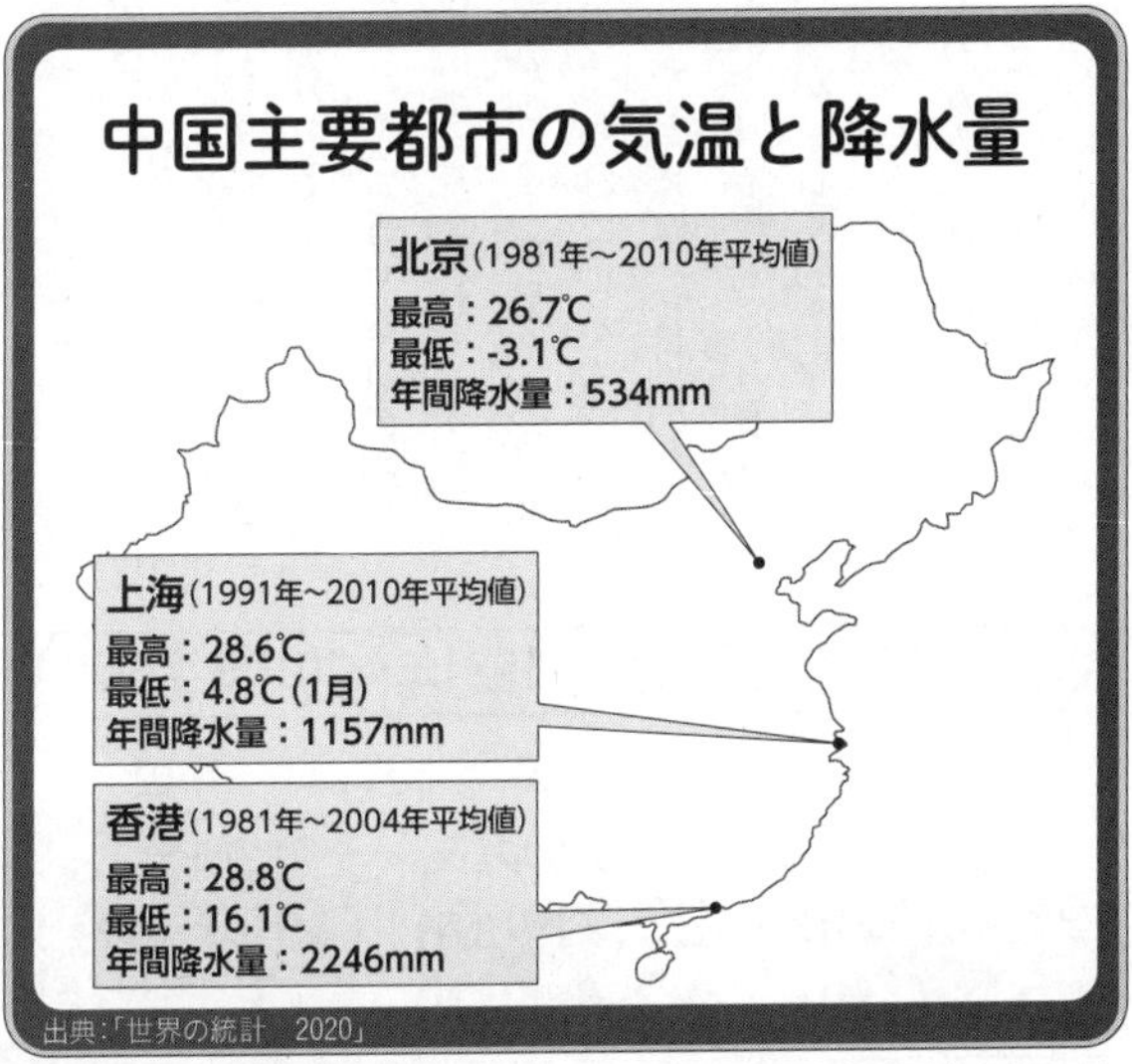

中国は日本の約26倍の国土があるため、気候も寒帯から熱帯まで存在している。地域の高低差で気候も異なっている。

い乾燥気候なのだ。

二十四節気は中国内陸の気候から

日本も朝鮮半島も、古代の暦は大陸で成立した太陰暦を使っていた。立春、春分、夏至、秋分、冬至など、年24回の季節の節目を定めた「二十四節気」や、5月5日の端午の節句、7月7日の七夕の節句も中国でつくられた慣習だ。

ただし、二十四節気は漢《かん》や唐《とう》の都があった内陸の長安《ちょうあん》（現在の西安市《シーアン》）周辺の気候を基準に考えられているので、日本や朝鮮半島の気候とは合わない。たとえば、月見のシーズンとして知られる旧暦8月15日の「中秋」は、中国の内陸では晴れて月がよく見える時期だが、日本の太平洋岸では台風シーズンと重なる。

日本と韓国の暑さのピークは8月だが、中国では北京、上海ともに7月だ。中国を訪れる場合は、こうした季節の感覚のズレにも注意が必要となる。

《年間の最高気温と最低気温(1981年～2010年平均値)》

日本	韓国	中国
（東京）	（ソウル）	（北京）
26.4度（8月）	25.7度（8月）	26.7度（7月）
5.2度（1月）	-2.4度（1月）	-3.1度（1月）

出典：自然科学研究機構国立天文台「理科年表」（2019年版）

国土・環境

02 森林面積

ついに環境対策に目覚めた？中国で緑地が増えているナゾ

日本の国土の3分の2は森林

日本列島の航空写真などを見ると、沿岸部以外は森林と山が多いことがよくわかる。日本の森林面積は約2494万ヘクタールで、国土の3分の2を占める。

韓国は、森林面積は約629万ヘクタールで国土の6割で、日本とそれほど差はない。朝鮮半島全体では、ソウルや北朝鮮の首都の平壌などの大都市がある西部は平地が多く、日本海に面する東部は山林が多い地形だ。

広大な中国は森林が約2億1998万ヘクタールもあるが、国土の23・3%しかない。航空写真で見ればわかるが、新疆ウイグル自治区、チベット自治区、内モンゴル自治区など、内陸の大部分は、乾燥気候の砂漠や樹木の少ない草原、あるいは寒冷で植物が育ちにくいツンドラ気候の高山地域が大部分を占めている。

スギが少ない韓国と中国では花粉症とは別の問題が

第二次世界大戦後、日本では建築材料の需要拡大を見込んで大量のスギが植えられた。この影響で、春先にはスギ花粉が飛散し花粉症で悩む人が多い。韓国と中国は、スギの木が日本ほど多くないので、スギの花粉症患者は少ない。

ただ、中国では大気汚染物質や黄砂で、アレルギー症状を起こす人がかなりの数になる。韓国でも中国から飛来する汚染物質や黄砂で被害を訴える人が多いという。

中国本土の北部を占めるのは、タクラマカン砂漠とゴビ砂漠。

人工衛星で確認された緑地の拡大

経済成長とともに環境汚染が進む中国だが、意外にも緑地面積は増えている。ＮＡＳＡ（アメリカ航空宇宙局）の人工衛星による観測データでは、地球の緑地は２０００年から５％増加しており、とくに中国の伸び率が大きい。

中国は内陸部が乾燥気候のため、土地の保水力が弱い。土砂災害が起こりやすく、また大量の黄砂が飛んで北京や上海などへの影響が大きいため植林を進めてきた。

日本のトヨタ自動車、本田技研工業ほかの民間企業や非営利のボランティア団体も協力しており、人の手による植樹ばかりでなく、砂漠地帯に飛行機で大量の種をまくなどの方法もとられている。中国の森林面積は２０１０年から10年間の間に、１９３万６８００ヘクタールも増えた。これは、日本の岩手県の面積より大きい。それでも中国の国土面積の約０・２％にすぎないというから驚きだ。

森林の面積(2020年)

日本	韓国	中国
2493万5000ha (国土面積の68.4%)	628万7000ha (国土面積の64.5%)	2億1997万8000ha (国土面積の23.3%)

出典:FAO, Global Forest Resources Assessment 2020

国土・環境

03 エネルギー消費

暖房のムダ遣いが多い韓国で、政府は省エネを呼びかけ中!

人口換算で韓国のエネルギー消費は中国の2倍以上!?

日本は2011年の東日本大震災の直後、国をあげて節電に励み、省エネルギー意識が広まった。それでも、主要先進国のなかでエネルギー消費量はやや高めだ。石油・石炭・原子力などを総合したひとりあたりの年間エネルギー消費量は、石油に換算して3・35トン相当となる。アメリカが6・61トンと突出しており、ドイツとフランスも日本を少し上回るが、イギリスとイタリアは3トン未満にとどまる。

一方、韓国は5・49トン、中国は2・21トンだ。中国は人口が多く未開発の地域が多いため、ひとりあたり消費量は先進国よりも少ない。しかし、経済規模が日本より小さく、しかも資源の大部分を輸入に頼る韓国が、ヨーロッパの先進国よりも多くエネルギーを消費しているのはなぜなのか。

電気料金が安いのでついつい浪費

韓国のエネルギー消費が多い理由は冬の寒さだ。気温が東京より約7度も低いソウルでは、よく暖房が使われる。商業施設の多くは、客を呼び込むため寒風が吹き込んでもドアを開けたまま営業するため、強暖房を効かせている。人がいない場所もふくめ、建物内すべてに暖房を入れることも少なくない。

工場でも節電の意識は低く、自動車を1台つくるのに日本の約3倍のエネルギーを消費しているといわれる。こうした事態の一因は、電気料金の安さだ。電力会社がほぼ完全に韓国政府の管理下にあり、国民の生活を維持するため、電気料金は日本の約半分に抑えられている。

とはいえ、近年は韓国政府も電力のムダ遣いをしないように国民や産業界に呼びかけている。公共料金が安いと節約をサボりがちになるというのは皮肉な話だ。

《ひとりあたりエネルギー消費量(2017年)》

日本	韓国	中国
3.41トン(石油換算)	5.49トン(石油換算)	2.21トン(石油換算)

出典:『世界国勢図会　2020/21』(矢野恒太記念会)

国土・環境

04 CO_2排出量

世界でもっとも二酸化炭素を出す中国が、温室効果ガス軽減のキープレイヤー

中国の排出量は日本の約9倍

台風の多発や海面水位の上昇など、「地球温暖化の影響か？」と思われる現象が増えてきた。その要因と考えられている二酸化炭素の排出量は、2007年以来、中国がアメリカを抜いて世界トップだ。2016年でみると、日本が約11億トン、韓国が6億トン、中国はじつに約93億トンにもおよぶ。

2015年の国連気候変動枠組条約第21回締約国会議（COP21）で締結された「パリ協定」では、国ごとに温室効果ガス削減の目標が定められ、中国は2030年までに化石燃料以外の発電手段を20％に増やすことに合意した。その後、アメリカは一時的にパリ協定から離脱し、2021年2月に復帰するまでの間、温室効果ガス削減をめぐる国際的な会合では、中国の発言力が高まった。

震災後に化石燃料の使用量が大幅に増えた日本

世界の排出量に占める割合では、中国が断然トップで28・2％、2位はアメリカで14・5％だ。その次は人口大国のインドと資源大国のロシアだ。日本は3・4％で世界5位、韓国も1・8％で世界7位に入っている。それだけ東アジアの工業力は、大きな存在といえる。

ただ、中国も削減に向けてかなり努力している。2000年には化石燃料による発電の割合が82％だったが、2016年には71％にまで落ちた。韓国は逆に、61％から67％に増加している。

日本は東日本大震災のあと原発を停止したため、58％から79％と大幅に増えた。

温暖化につながる化石燃料を使うか、まだ完全に安全とは断言できない原子力を使うかは、日本のエネルギー政策の大きな課題といえる。

CO_2排出量（2017年）

出典：EDMC／エネルギー・経済統計要覧2020年版

05 再生可能エネルギー

中国が積極的に進める脱石炭。大気汚染で下がる太陽光発電効率

太陽光発電を進めつつその阻害要因も助長？

水力、風力、地熱、太陽光、植物由来のバイオ燃料や廃棄物を再利用した燃料は、再生可能エネルギーとされる。国内のすべてのエネルギー供給に占める再生可能エネルギーの割合は、日本は6・9％、韓国は3・0％、中国は9・2％だ。中国の健闘がうかがえるが、ブラジルやインドなど20％以上の国も少なくない。

中国はバイオ燃料や廃棄物燃料の生産量が石油換算で1億1384万トンもあり、アメリカの生産量を約11％上回る。人口密度が少ないゴビ砂漠などの内陸では、大規模な太陽光発電パネルを建設中だ。ただ、スイスのチューリッヒ工科大学の研究チームによれば、中国で排出される大量の大気汚染物質による太陽光の遮蔽で、中国のみならず諸外国でも太陽光発電の効率が落ちるという事態が起こっている。

火山の国で地熱発電が発展!?

韓国は、2030年までに再生可能エネルギーの利用率を11%に上げる方針で、農地として使われなくなった休耕田に次々と大量の太陽光発電パネルが設置されている。

韓国屈指の化学メーカーであるハンファグループも、太陽光発電の設備を海外にレンタルするビジネスを発表しているが、市場の規模や採算性はまだ未知数だ。

日本も、再生可能エネルギーの利用率拡大をめざしており、とくに開拓の余地が大きいのは地熱だ。日本には100カ所以上の活火山があるのに、地熱発電の割合は0・2%程度しかない。有力な火山帯の多くは環境省が管理する国立公園内にあり、土木工事の制限が多いためだ。

しかし近年は、規制緩和が進み、政府は2030年までに発電量を3倍にする目標を掲げている。火山の多い国土が大きなエネルギーを生むことが期待される。

《再生可能エネルギーの利用率(2017年)》

日本	韓国	中国
6.9%	3.0%	9.2%
(水力1.6% 地熱・太陽光・風力1.8% バイオ燃料ほか3.5%)	(水力0.1% 地熱・太陽光・風力0.4% バイオ燃料ほか2.5%)	(水力3.2% 地熱・太陽光・風力2.3% バイオ燃料ほか3.7%)

出典:IEA World Energy Balances 2019

EAST ASIA REPORT 11

北朝鮮・台湾の自然環境

～寒さではげ山が増えた北朝鮮～

北朝鮮の最北端は日本の函館市と同緯度くらいだが、暖流の影響がないため気温は低い。年間の約5カ月が冬で、中国およびロシアとの国境を流れる豆《とう》満江《まんこう》と鴨緑江《おうりょくこう》は、3カ月以上も凍結する。1990年代には暖房用の薪にするため山林が伐採された。現在は植林が進められているが、外貨獲得のため木材輸出も進めており、成果はイマイチとみられている。

～台湾に残る日本統治の遺産～

台湾の南部は熱帯に属し、冬の短い一時期以外は温暖で、明確な四季はない。南国らしい景色が広がり、町中にはヤシの木が目立つ。台湾のヤシの木の多くは戦前の日本統治時代に植林されたといわれる。台南では戦前に日本が築いた烏山頭《うとうさん》ダムが農業・生活用水の確保に活用され、現在は年間4000万キロワット以上もの電力を生みだしている。

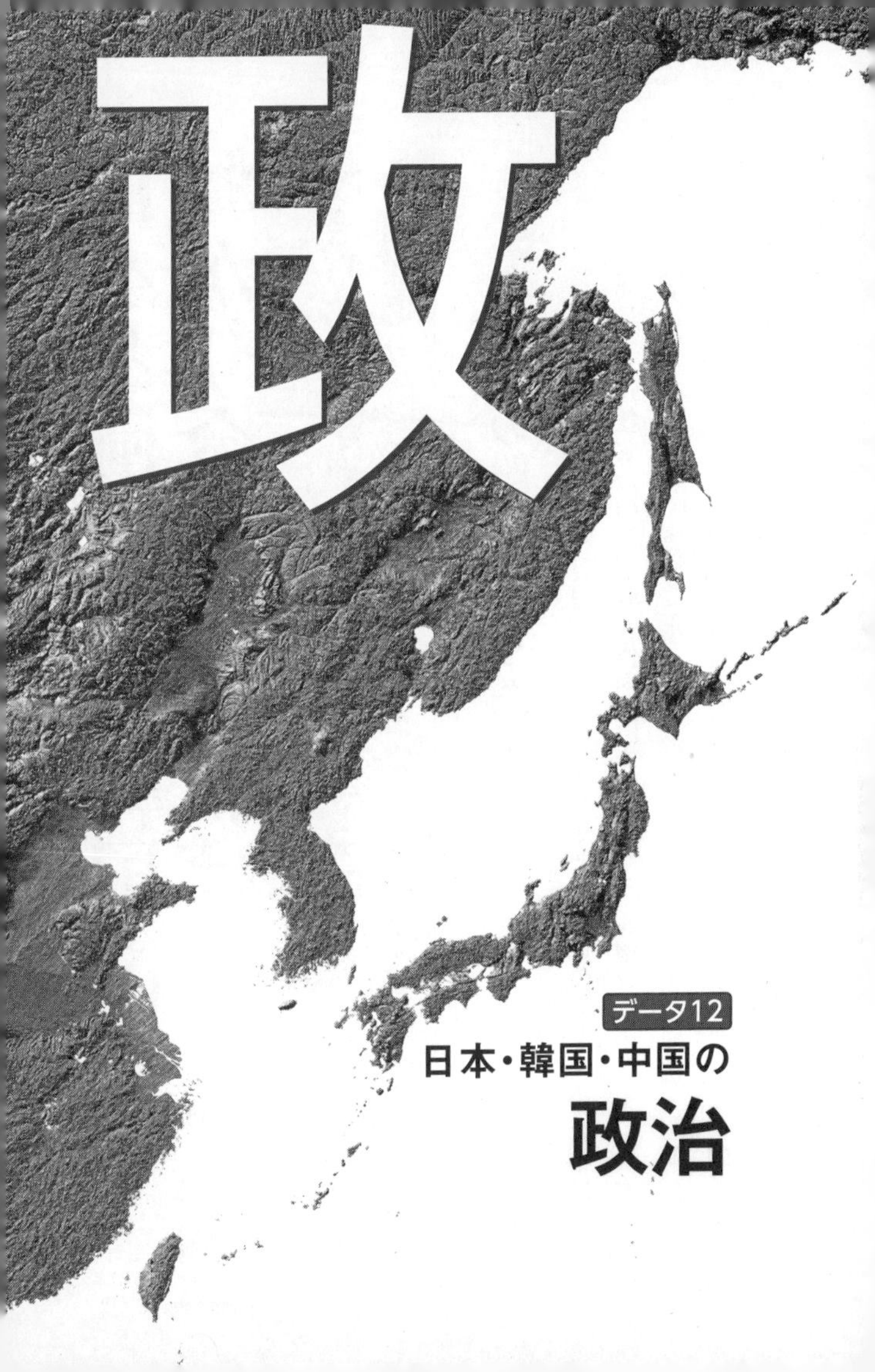

政

データ12

日本・韓国・中国の政治

日本と衝突する韓国・中国 わかり合えないわけ

政治的な摩擦が絶えない日本・韓国・中国。その背景には何があり、リーダーは何を主張しているのか。

●波乱の船出となった菅政権

日本では２０２０年９月、それまで約８年間の長期政権を務めた安倍晋三首相が退任したのち、菅義偉内閣が発足した。新型コロナウイルス流行への対応をはじめ、憲法改正、各種の災害に対する国土強靱化、北朝鮮による日本人拉致、韓国による竹島の実効支配、ロシアとの北方領土問題など、前政権から持ち越された課題は多い。

政

中国との関係では、尖閣諸島周辺で多発する中国船による領海侵犯、東シナ海での海底資源採掘をめぐる日中両国の境界線の維持、中国内でたびたび発生する一方的な日本人拘束への対処など、多くの懸案事項がある。

また、少子高齢化によって労働人口の減少、産業の国際競争力や税収の低下に直面するなか、非正規雇用者をはじめとする国民の生活の改善が大きな課題となっている。

「デモが勝利した」過去を持つ韓国

日本人が韓国の政権交代のニュースを見ると、「大統領が辞任すると裁判にかけられ、有罪となる」と感じてしまう。それはなぜだろうか？

韓国の政治体制の大きな特徴は、大統領の任期だ。１期５年のみとし、再選が認められない。１９８０年代まで軍事独裁政権が続いたので、国民の間に権力者への警戒心が強いのだ。一方、地縁や血縁による派閥意識が強く、大統領は自分に忠実な人間で周囲を固めることが多い。このため、任期を終えて新政権ができると、前の大統領の不正が糾弾されるのが通例となっている。その意味では、一党独裁体制の中国よりも不正や腐敗に対して厳格なのかもしれない。

韓国では反政府デモがよく起こる。１９８０年代には、国民のデモが軍事政権を終わらせる契機となった。このため今も「デモは民意を示す手段として有効」とみているフシがある。

韓国は日本との合意を反故《ほご》にし、何度もむし返すスタンスをとる。だが、必ずしも国民が反日で一致団結しているわけではない。若者はそれに反発する傾向も現れている。２０１９年にはソウル市内の仁憲高校の生徒が、教師による反日教育の強要を批判する会見を開いて話題を呼んだ。かつて軍事政権時代は冷戦体制のため政府への忠誠を国民に強要したが、多くの若者はそれに反発した。皮肉なことに、その図式がくり返されているのだ。

独裁と豊かさはいつまで共存できるか

20世紀の間は、日本やアメリカなどの主要先進国において、自由で民主的な政治体制と経済的な豊かさがセットだった。しかし、21世紀の中国は

政

「一党独裁体制のまま経済的な豊かさを実現する」という、独自の国家モデルを確立しつつある。

中国の元首である国家主席の任期は2期10年とされていたが、習近平が2018年にこの制限を廃止した。経済発展に成功したことで、国民からの支持は揺るがないと考えたのだろう。

1997年にイギリスから返還された香港は、その後50年間の自治と言論の自由が保障されていた。しかし、中国政府はこれを覆《くつがえ》して政治介入を深めている。香港財界の有力者も、ビジネスの利益を守るため政府に同調する者が多い。中国政府は2020年6月に「香港国家安全維持法」を成立させ、市民の民主化運動を大きく制限しつつある。

さらに、中国共産党は、内陸のウイグル自治区やチベット自治区でも、少数民族の宗教活動を制限したほか、反体制的とみなされた人物を一方的に強制収容所に収監するなどの人権弾圧も行ない、海外から非難を浴びている。加えて、政権交代のない一党独裁体制なので、中央政府でも地方自治体でも、汚職や政治腐敗が慢性化しているケースが多い。

政治

01 若者の愛国心

愛国心＝反日ではなかった？ 自国への愛着がない韓国の若者

愛国心が圧倒的に高い中国の若者

日本からみると、韓国も中国も若者の愛国教育や反日教育に力を入れ、ナショナリズムをあおっているイメージがあるかもしれないが、実態はそう単純ではない。

高校生に対する意識調査で、「日本人（韓国人・中国人）であることに誇りを持つ」という質問に対し肯定的な回答をしたのは中国だ。日本では約82％、韓国では約72％、中国はなんと約97％となっている。なお、この数値は「よくあてはまる」という積極的な層と、「まああてはまる」というやや消極的な層を合わせている。

「よくあてはまる」だけにしぼれば、日本は35％、韓国は約25％、中国は約76％となる。3国とも2011年の調査より増えているが、中国は伸び率が約17％と極端に高い。政府批判が許されない国柄と経済が上り調子なためだろう。

自国に誇りを持てない若者が増えている韓国

韓国の40～50代は、１９９０年代の経済成長の恩恵を受けているので自国を誇る意識が強い。だが、若者の一部は、受験競争のきびしさや、経済格差、地縁や血縁によるコネが横行する自国を「生きづらい」と考えている。

先ほどの「自国に誇りを持つ」の質問で「まあてあまる」と答えた層が約47%を占めており、これは日本とほぼ同数だ。

また、徹底した愛国教育を行なっている中国でも、それにウンザリして極端な日本びいきになる若者がいる。彼らは「精日（精神的日本人）」と呼ばれて非難されている。

なお、自国に誇りをまったく感じない高校生の割合は、日本は約３％、韓国は約５％、中国はわずか０・５％だ。ちなみにアメリカは約４％だった。国が豊かなほうが、自国の批判もできるだけの心の余裕が生まれるのだろうか。

自国に誇りを持っている高校生（2018年）

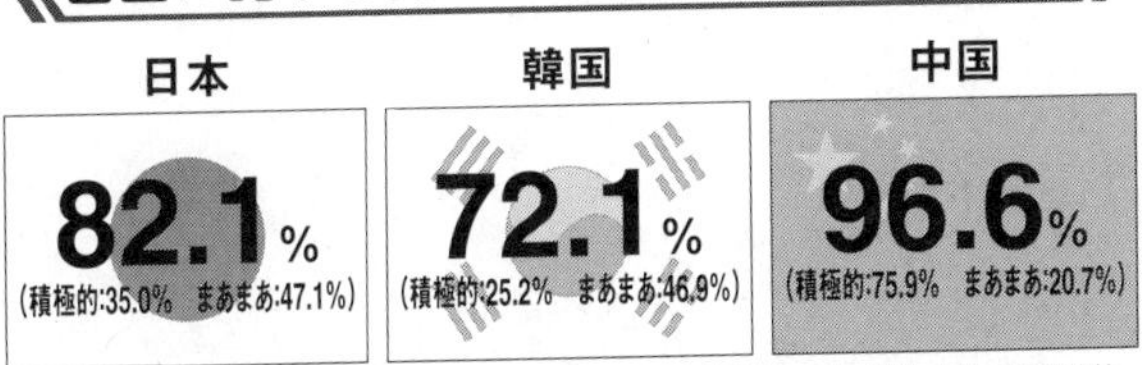

日本	韓国	中国
82.1%	**72.1**%	**96.6**%
（積極的：35.0%　まあまあ：47.1%）	（積極的：25.2%　まあまあ：46.9%）	（積極的：75.9%　まあまあ：20.7%）

出典：国立青少年教育振興機構「高校生の留学に関する意識調査報告書　日本・米国・中国・韓国の比較」

政治

02 報道の自由

経済は豊かになった中国。それでも報道の自由度は低い

海外では不評な日本の記者クラブ制度

世界各国のジャーナリストが集まってできた民間団体「国境なき記者団」が発表する報道の自由度ランキングをみると、一党独裁体制の中国は世界１８０カ国で１７７位。つまり報道の自由がない国だ。情報公開の制限がある国は多く、アメリカですら45位だ。韓国は42位で、日本は66位となっている。

「え、日本が韓国より低いの？」と思う人は多いだろう。政府や官庁の記者会見で、登録された大手新聞社やテレビ局などしか参加できない「記者クラブ制度」への反発もある。しかも近年は、閣僚や官庁幹部が記者の質問時間を制限する例や、政府が行政文書の公開を渋ったり、公開しても情報が制限されたりしているせいで黒塗りだらけだったという例も少なくない。

「クマのプーさん」が見られない中国

韓国での政府高官の不正、失政、財閥幹部の横暴、反日教育などに対する韓国内での批判の声は日本でもよく報道される。それらは『朝鮮日報』『中央日報』など韓国メディアの報道からの日本語訳や引用が多い。それなりに報道の自由があるといえる。

政権批判報道が許されない中国では、たとえば習近平主席を「クマのプーさん」に見立てるなど、隠語や比喩を使った表現が発達している。しかし、このような表現もやがて共産党の目に留まると、プーさん自体がネットや出版物から消されるなど、自由度の低さがわかる。

ちなみに、香港の報道の自由度は世界73位と中国より高いが、2019年9月には反政府デモを取材していた記者が見知らぬ人物に襲撃される事件が起こっている。香港もふくめて中国の報道関係者は危険にさらされているのだ。

出典：国境なき記者団「Reporters Without Borders – Press Freedom Index」

政治

03 軍事力

中国に続き韓国も空母を建造予定！費用がかかるのは兵器より人

国防予算の大きなウエイトは人件費

日本の防衛費は１９９０年代からほとんど大きな変化がないが、中国は約20年の間に10倍近くになっている。イギリスの国際戦略研究所の推計では、韓国の国防支出は約３９８億ドル、日本が約４８６億ドルなのに対し、中国は１８１１億ドルで日本の約４倍とされるが、この数値には諸説ある。

中国は２０１２年に新空母「遼寧《りょうねい》」を就役させ、日本も空母に転用可能なヘリコプター搭載護衛艦を運用している。なお、日本の防衛費に占める兵器や装備品の割合は20％ほどしかない。もっとも割合が大きいのは人件費で約40％、さらに基地などの施設の維持費が約20％だ。中国の軍事費の内訳は非公表で、軍人の給与や退役後の保障なども不明。情報統制をきびしく行なっている。

国防支出の割合で中国より韓国のほうが上

ＧＤＰに占める国防支出の割合は、日本は０・94％で、中国は１・28％だ。中国の数値はアメリカやロシアの半分だが、アフリカや中東など海外にも次々と軍の駐留地をつくっているので、今後さらに増える可能性は高い。

一方、韓国は２・44％と中国の倍近い。近年のニュースでは北朝鮮との対話ムードが報道されているものの、朝鮮半島は休戦状態にあることに変わりはなく、中国や日本に続いて韓国海軍も空母の開発を決定している。

実際の戦争は、戦死者への補償や遺族への対応など「兵士の命の値段」が無視できない。人命尊重の意識が低かった中国も、１９７９年のベトナムとの戦争以後、「一人っ子政策」のため子どもを戦死させることを嫌がる親が増えたという。一方で、軍事費は２００８年からの10年で83％増えた。国は戦力を増強し力を示そうとしているようだ。

国防支出総額（2019年）

日本	韓国	中国
485億9000万ドル	397億6400万ドル	1811億3500万ドル

出典：IISS The Military Balance 2020

政治

04 宗教

3国とも信者の正確な比率は不明。政治との関係も深い宗教事情

日本の宗教人口は1億8000万人以上？

文化庁の２０２０年版『宗教年鑑』によれば、日本で神道系宗教法人の信者は約８８９６万人、仏教系は約８４８４万人、キリスト教系は約１９１万人、そのほかの宗教が約７４０万人で、合計すると総人口を超えてしまう。日本は神道と仏教を重複して信仰する人が多いためだ。２０１９年には徳仁《なるひと》天皇の即位式が注目を集めたが、じつは江戸時代まで皇室の冠婚葬祭の儀式も仏教式だった。

韓国では宗教が明確なのは人口の約53％で、そのうちキリスト教徒が約55％でいちばん多い。初代大統領の李承晩はプロテスタントで、戦後はアメリカとの結びつきからキリスト教が広まった。ただし、冠婚葬祭の習慣などは儒教の影響が残っており、親の遺骸を焼くことを忌避するので、火葬ではなく土葬が主流だ。

外来の宗教を嫌う中国共産党

中国では共産党政権の成立後に宗教を前時代的なものとして抑圧したが、形式上は道教、仏教、イスラム教、プロテスタント、カトリックの５大宗教を公認している。

なかでも、古代から漢民族の大衆的な信仰だった道教は、日常的なおまじないや占い、風水などと結びついて広く信仰されているが、正確な信徒数は不明だ。

一方、チベット自治区やウイグル自治区では、伝統的なチベット仏教やイスラム教が信仰されている。しかし、共産党政府は、それらの熱心な信徒を反政府的な分離主義者とみなし、宗教活動を制限したり、強制収容所へ送ったりと、きびしい弾圧を行なっている。

中国政府は長年、外国勢力と結びついているとみなされる宗教関係者を敵視してきた。ローマ教皇庁による中国内の司教の任命権は、２０１８年にようやく認めている。

宗教別人口比

出典：外務省「各国情報」、『世界国勢図会2019/2020』（矢野恒太記念会）

政治

05 治安

犯罪件数が減り続けている日本。中国では表に出ない事件が多数？

日本の殺人事件の割合は韓国・中国の半分以下

韓国や中国に対して、日本が今も誇れるのは治安の良さだ。警視庁の『警察白書』によれば、２００１年の日本の人口10万人あたりの刑法犯罪数は２１４９件だったが、２０２０年には５９９件と約４分の１にまで落ちている。

２０１９年までの５年間だけを見ても、検挙者数は４万６７４８人も減り、とくに少年犯罪は検挙者が約４万人から約２万人に半減した。

犯罪全般の統計は国際的に比較できるデータがないが、殺人事件の場合、日本は10万人あたり０・26件なのに対し、韓国は０・60件、中国は０・53件だ。なお、ロシアは８・21件、アメリカが４・96件、イギリスとフランスは１・２件となる。じつは、世界的にみれば韓国と中国も殺人事件は少ないほうなのだ。

30年を経て犯人判明

ここ数年、日本でも大量殺人事件が起こっている。２０１６年に相模原市の障害者施設で19人（犯人は死刑確定）、２０１９年には京都アニメーションへの放火で36人が亡くなった。

韓国では１９８６年から５年間で10人の女性が殺害される「華城《ファンソン》連続殺人事件」が起こった。未解決だったが、２０１９年に別の事件の服役囚が犯人だったと判明。韓国警察は解決に長い年月がかかったことを被害者と国民に謝罪した。

日本の刑法犯指数

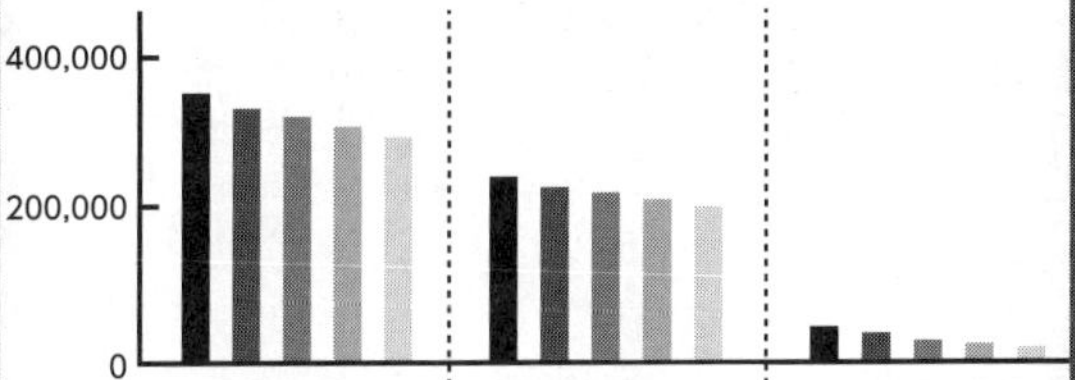

	検挙件数	検挙人員	少年
平成27年	357、484	239,355	38,921
平成28年	337,066	226,376	31,516
平成29年	327,081	215,003	26,797
平成30年	309,409	206,094	23,489
令和元年（平成31年）	294,206	192,607	19,914

出典：警視庁「犯罪統計」（2019年）

「5次下請け」が仕事せず事件が発覚

中国では、当局による、表沙汰にならない暴力的な事件が少なくないという。2016年、北京で男性が証拠もなく買春容疑で逮捕され、拘束後すぐに死亡した。市民の間では警察による拷問や暴行が疑われたが、真相は明らかにならない。近年は、日本人がいきなりスパイ容疑などで拘束される例もある。

日本の暴力団や半グレのような犯罪者は中国にもいる。2019年には不動産業者が、自分に対して訴訟を起こした実業家を抹殺するため200万元（約3000万円）で殺し屋を雇った。次々と下請けに投げ10万元（約150万円）で引き受けた5人目の殺し屋は、金額が割に合わないと考えて、標的の実業家を殺したと偽装して済ませた。その後、この実業家が警察に駆け込んで事件が発覚し、殺し屋5人と依頼者は全員逮捕されて収監されたという。

《人口10万人あたりの殺人事件数(2017年)》

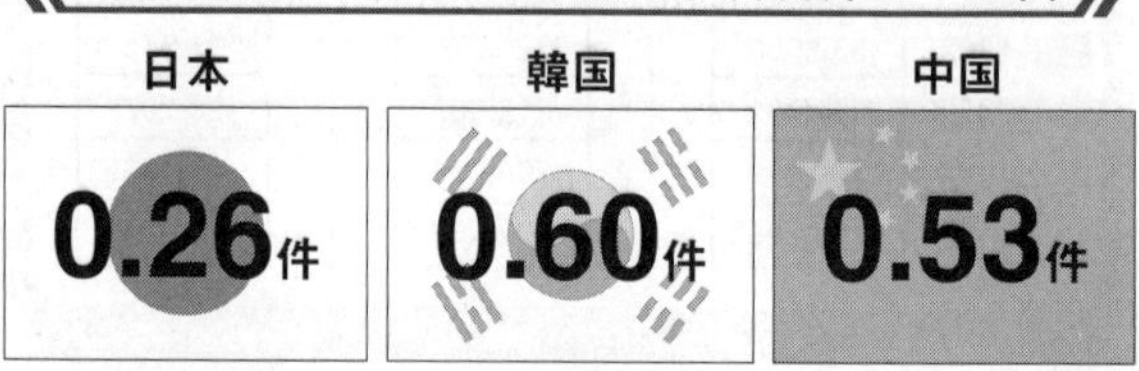

出典：UNODC(United Nations Office on Drugs and Crime)

政治

06 領土問題

日本と食いちがう韓国・中国の言い分。一方、韓国と中国の間にも対立が

微妙に性格が異なる竹島問題と尖閣問題

島根県沖にある竹島は、明治時代の1905年に日本領とされた。戦後、日本がアメリカの占領下にあった1952年、韓国が一方的に自国の漁業水域に編入し、2020年現在まで韓国による実効支配が続いている。

一方、沖縄県の西方に位置する尖閣諸島も明治時代に日本領とされ、戦後も日本の統治下にある。しかし、1960年代末に近海で海底油田・天然ガス田が発見されたことで中国と台湾が利権に目をつけて領有を主張しはじめた。

日本政府の立場では、1951年に結ばれたサンフランシスコ講和条約で領土は確定している。ところが、韓国と中国はこの講和会議に出席していないため、領土について了解していないと主張しているのだ。

領海を拡げるため島をつくる中国

日本は韓国と中国以外にも、ロシアとの間で北方領土（歯舞《はぼまい》群島・色丹《しこたん》島・国後《くなしり》島・択捉《えとろふ》島）をめぐる問題を抱えている。

一方、じつに14カ国と国境を接する中国は領土問題を多数抱えている。内陸のカラコルム山脈では、インドとの間にカシミール問題がある。

にもかかわらず南シナ海の南沙諸島に軍事基地として利用可能な人工島を勝手に次々と建設している。

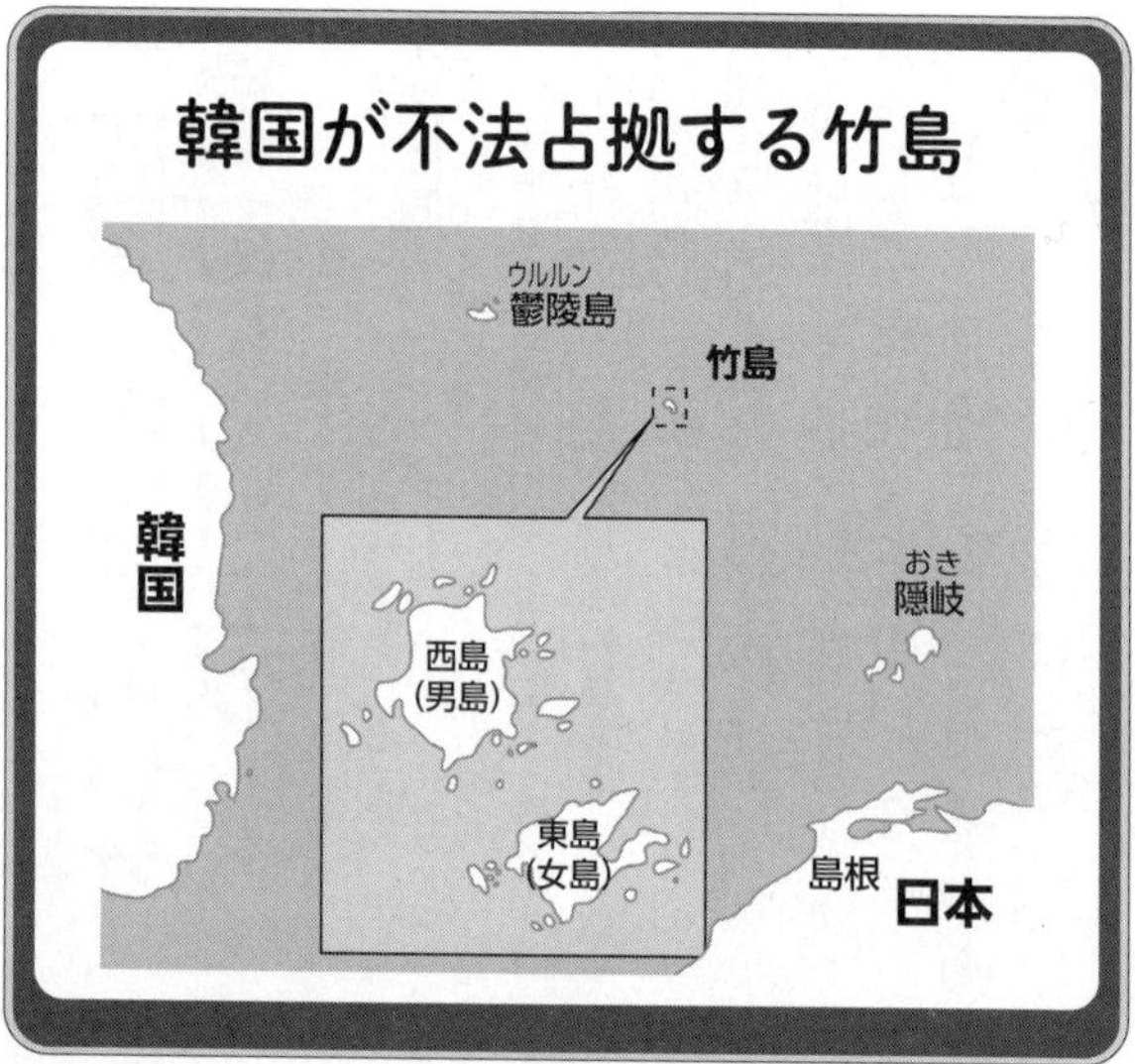

竹島の総面積は約0.21平方キロメートルで、日比谷公園とほぼ同じ広さだ。

東シナ海で衝突する中国漁船と韓国警察

２０１６年、国際紛争をあつかう常設仲裁裁判所が、中国の南シナ海領有権主張に法的根拠はないと判断している。日本ではあまり報道されないが、じつは中国と韓国の間でも摩擦はある。東シナ海の黄海寄りの蘇岩礁《そがんしょう》という暗礁一帯で両国が領海の範囲を争い、違法に操業している中国の漁船員を韓国の海洋警察が捕らえる事件が起こっている。

近年、中国人が日本の土地を買収して警戒されているが、韓国の済州島も中国人による不動産の買い占めが進み、武力に頼らない実質的な島の乗っ取りが懸念される。

また、北朝鮮は１９６２年に中国との国境を確定し、朝鮮民族が愛着の深い白頭山《はくとうさん》を両国で分割することを決めたが、韓国はこれに同意していない。そもそも韓国には、中朝国境となっている豆満江《とうまんこう》、鴨緑江《おうりょくこう》より北にある間島《かんとう》地《ち》方《ほう》も本来ならば自国の領土であると主張する者もいる。

《日本、中国、韓国の間の領土をめぐる問題》

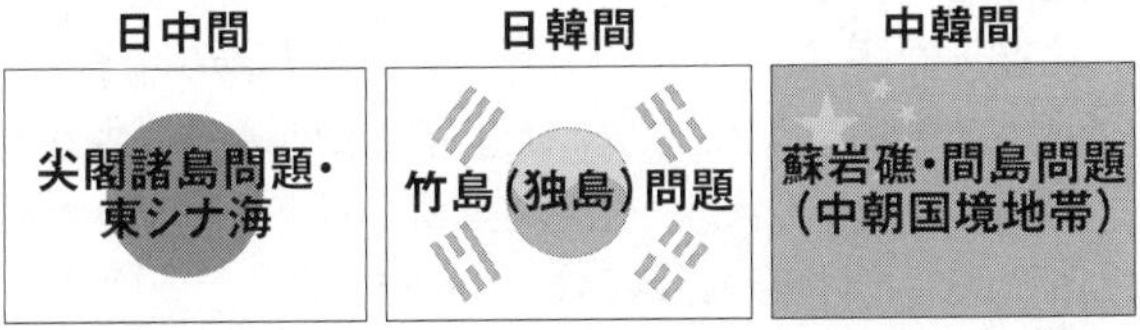

EAST ASIA REPORT 12

北朝鮮・台湾の政治

～国より軍隊が古い北朝鮮～

北朝鮮（朝鮮民主主義人民共和国）の建国は1948年だが、国軍である朝鮮人民軍の創建はそれより前の1932年とされる。これは初代の国家指導者だった金日成《キムイルソン》が、戦前の日本統治時代に率いたパルチザン部隊で、軍がそのまま政府の母体となった。このため長く軍が政治を支配したが、現在は金正恩《キムジョンウン》第一書記の身内の文官に主導権が移っているという。

～台湾は2大政党制～

台湾の総統が選挙で選ばれるようになったのは1996年で、それまでは国民党による一党独裁体制だった。現在は、革新系で中国本土と距離を置く民主進歩党（民進党）と、保守系で台湾と大陸の協調をはかる国民党の2大政党制だ。国民党は本来、中国共産党を倒して大陸の主導権を奪い返す方針だったが、現在では実現困難となっている。

データ13

日本・韓国・中国の

運輸・交通

人も貨物も密度を増す東アジアの交通事情

韓国・中国の交通網の整備をめぐる事情には、地形や環境、政治的な背景がからんでいる。

● 観光産業を直撃した新型コロナウイルスの流行

日本では、政府が外国人観光客によるインバウンド需要の伸長をはかるようになって久しい。アメリカやEU圏でも駅や空港の案内板は多言語表記が増えているが、日本でも日本語・英語とともに韓国で使われるハングルや中国で使われる簡体字を併記することが定着した。逆に、韓国のソウルや中国の北京でも日本語対応の案内が増えている。

とはいえ、外国との交流が活発化する反面、マナーの悪い外国人観光客とのトラブルや、観光地の経済が外国人客の動向に大きく左右されるなどの問題も少なくない。２０２０年の新型コロナウイルスの流行以降は、外国人観光客の激減で大打撃を受けた観光地も多い。

国内交通は、かねてより、過疎化する地方での不採算路線の増加、運転に問題のある高齢ドライバーの増加などの問題を抱えていた。これらの解決に加えて、コロナ禍以降、政府は旅行業者の支援と国内観光の振興をはかって「ＧｏＴｏトラベル事業」を行なうなど、交通・運輸業界の衰退を防ぐことに力を注いでいる。

空と陸で西と東をつなげる韓国

朝鮮半島における鉄道網と道路網の基礎は、戦前の日本統治時代に築かれた。日本国内の鉄道は、もっぱら国際基準で「狭軌《きょうき》」とされる１０６７ミリメートルのレールが使われているが、朝鮮半島では１４３５ミリメートルの国際標準軌が採用され、１両あたりの輸送量が大きい。同じく戦前に日本が満洲（現在の中国東北部）に敷いた鉄道網のレール幅も同じなので、乗り入れが可能だ。

しかし、朝鮮半島は南北に分断されており、韓国から中国への陸路輸送はできない状態にある。こうした事情もあり、1990年代以降に中国との交流が活発になると、空路と海路による輸送網が大いに発達した。仁《イン》川《チョン》国際空港や釜山《プサン》港は、中国と日本やアメリカの間を中継する東アジアの貨物輸送の要（ハブ空港）となっている。

国内交通に目を向けると、首都ソウルとその周辺に総人口の半数が集中し、駅や道路の混雑も交通事故も非常に多い。そこで、少しでも混雑を解消するため、公共交通のキャッシュレス化はもとより、渋滞確認アプリの普及、自転車や電動キックボードのレンタルサービスなど、あの手この手の工夫をはかっている。

「一帯一路」の実現をめざす中国

総面積約960万平方キロメートル（日本の約26倍）の広大な国土を持

運

つ中国は、昔から北京、南京、上海など東部の大都市に人口が集中する一方で、内陸の砂漠や高原地帯は道路や鉄道整備の遅れが課題となっていた。しかし、2006年に青海省とチベット自治区を結ぶ青蔵《せいぞう》鉄道を開通させた。これには内陸部に住むチベット族やウイグル族などの少数民族の支配を強化する意図もある。

さらに、2013年から、中央アジアを経てヨーロッパ・アフリカに至る地域に、自国が主導権を持つ経済圏を確立するため、広範な鉄道網・道路網や港湾からなる現代のシルクロード、「一帯一路」の建設が進められている。

都市部ではドローン利用の配達、電気自動車の普及、道路へのホームドア設置など、新しい技術を駆使した交通網の整備が急速に進む。

なかには採算性や効率がよいとは言えないものもあり、2016年に「乗り捨て自由」のライドシェア自転車サービスが注目を集めたが、多くの業者が参入したため過当競争になり、決められた駐輪スペース以外の場所に乗り捨てる人が増えるなど、トラブルも多発した。

運輸・交通

01 鉄道

貨物列車の輸送量が日本の100倍！ 今やアジア各地を走る中国の鉄道

世界ベスト3に入る日本の鉄道旅客

東京都心を走っている山手線の混雑ぶりは世界一ともいわれる。実際、日本は鉄道の利用率がずば抜けて高い。鉄道の旅客輸送量は「旅客数×移動距離」の数値で示され、日本は４４１６億人キロメートル。これをしのぐ国は中国とインドだけで、シベリア鉄道のあるロシアでさえ日本の３分の１以下だ。

韓国の旅客輸送量は２３０億人キロメートル。国土が狭く、ソウルや釜山など少数の都市に人口が集中するため、輸送量は日本の約20分の1しかない。

国土が広大な中国では、内陸は鉄道網が未発達の地域が多い。東北部（旧満州）では、戦前に日本が敷設した路線が活用されている。中国の人口は日本の10倍だが、旅客輸送量は６８１２億人キロメートルで、日本の約１・６倍にとどまる。

中国の貨物輸送量は日本の１００倍

中国の鉄道では人よりモノが動いている。貨物の輸送量（重量×移動距離）は日本の１００倍以上で、なんと２兆１４６５億トンキロメートルだ。北京や上海といった都市間を結ぶだけでなく、国際輸送も多い。

習近平《しゅうきんぺい》首席は、２０１３年に現代のシルクロード経済圏たる「一帯一路」を提唱した。中国からロシアや中東を経由してＥＵ圏に至る鉄道網は、その大動脈といえる。中国製のＩＴ機器

モンゴルのウランバートルまで続いている路線もある。

や自動車などをヨーロッパに輸送する列車の便数は、年間5000本近い。

海外市場が3国の主戦場に

海外の高速鉄道開発における日本の鉄道会社と中国・韓国との競争も激化している。長年、日本の鉄道車両メーカーのお得意様だった台湾は、近年は韓国の車両を購入するようになった。

2015年には、インドネシアのジャカルタ～バンドン間の高速鉄道の受注で日本と中国が争い、中国が契約を勝ち取った。だが、中国による敷設が遅れる一方、ジャカルタ～スラバヤ間の敷設は日本が進めている。

中国は一帯一路の一環として、ほかに東南アジアやアフリカ各地でも鉄道敷設を受注している。とはいえ、資金面や技術面の問題も多く、シンガポールとマレーシアのクアラルンプール間など、いくつかの計画は中止されている。

鉄道輸送量(2018年)

	日本	韓国	中国
旅客	4416億人km	230億人km	6812億人km
貨物	194億トンkm	79億トンkm	2兆2384億トンkm

出典：世界銀行　The World Bank,World Development Indicators

02 交通事故

歩行者の交通マナーが悪い中国。信号無視はあの手この手で対策

「交通事故大国」の日本

ふたりに1台の割合で乗用車がある日本では、近年、高速道路での「あおり運転」や高齢者の操縦ミスによる事故が大きく報道されている。２０１８年に日本で死傷者が発生した事故は約43万件。これより件数が多い国はアメリカだけだ。

ただ、交通事故死者数はピークの１９７０年（1万６７６５人）から減少を続け、約50年で5分の1以下になった。新型コロナウイルス流行による交通量の低下のためか、２０２１年4月8日は死者0人となっている。

一方、韓国は、事故の件数が約22万件と日本の約半分だ。また、中国は約20万件と意外にも韓国より少ない。実際に中国は乗用車の普及率が10人に1台と低いが、もしかすると表沙汰になっていない交通事故があるのかもしれない。

死亡事故率が低い日本

２０１７年のデータでは、日本の交通事故の死者数は４４３１人、韓国は４１８５人、中国は６万３７７２人だった。韓国は人口が日本の半分以下だが、数値は日本と大差ないので、死亡事故率は日本の約２倍もある。人口が日本の10倍の中国も、死亡事故が日本の約14倍と割合が高めだ。

逆にいえば、日本は交通事故の総数が多くても、死亡事故の割合は低いのだ。自転車と歩行者の衝突や接触事故による物損

2019年度、最も多くの死者が出たのは千葉県で、172人だった。

など、軽微なケースが大部分を占めている。

最新技術で合理的に事故を防止する中国

韓国は長年、取り締まりがゆるかったので、スピードを出すドライバーが多いという。加えて、都市部に人口が集中するので、町中は人も自動車も多く、一般道路から幅の狭い生活道路に進入して事故になるケースが多い。

一方、中国では交通マナーが徹底されておらず、平気で信号無視をする歩行者が多い。そこで近年は、横断歩道に鉄道の踏切やホームドアのような装置を設けたり、監視カメラと顔認証で交通マナーが悪い人物を街頭のモニターで公開したりしている。さらには、横断歩道にセンサーを設置して無理に渡ろうとする人に噴霧器で液体を吹きつけるなどの対策も各地で試みられている。交通マナーを徹底するより、最新技術を用いて事故を防ごうとするところは、いかにも中国らしい合理的なやり方だといえる。

交通事故件数(2018年)

日本	韓国	中国
43万0601件	21万7114件	20万3049件

出典：OECD国際交通フォーラム ITF: International Transport Forum

運輸・交通

03 自動車

韓国のマイカー普及はそろそろ頭打ち。中国は電気自動車のスタンド不足！

地方が支える日本の自動車産業

日本の乗用車の保有台数は約6125万台で、ほぼふたりに1台だ。地域別にマイカー保有率をみると、鉄道やバスが発達した東京都、神奈川県、大阪府などは低いが、福井県や富山県など人口が少ない日本海側の県、群馬県や長野県など山が多い県は保有率が高い。地方ではマイカーが必須なのがわかる。

一方、韓国の乗用車の保有台数は約1804万台で約3人に1台。公共交通が発達したソウルなど大都市の保有率は頭打ちともいわれ、現代や起亜といった韓国の自動車メーカーは海外市場に力を入れている。

また、中国では約1億8238万台で、保有率はまだ8人に1台。今後伸びる余地は大きいが、同時に大規模な自動車道の建設が急がれる。

国をあげて電気自動車を広げたい中国

近年の自動車業界で無視できないのが、電気自動車だ。新興国ほど新しい技術が広まりやすいが、中国は国策で電気自動車の普及をはかっている。

その保有台数は、日本は約29万台、韓国は約9万台に対し、中国は約335万台でアメリカの2倍以上、ダントツの世界1位だ。

諸外国では充電器を各家庭に置くことが多いが、中国では公共充電器の台数が約52万基とアメリカの6倍以上になっている。ただ、それでも北京などでは、充電設備の前に長蛇の列ができ、なかなか充電器までたどり着けずにいら立つドライバーも多いという。

ひところの中国では北京や上海で深刻な大気汚染が問題視されただけに、排気ガスの出ない電気自動車を国策で広めたい狙いは理解できる。

日本	韓国	中国
29万4000台/	9万2000台/	334万9000台/
公共充電設備：3万394基	公共充電設備：9187基	公共充電設備：51万5908基

出典:『世界国勢図会　2020/21』(矢野恒太記念会)

04 航空

仁川空港はアジアの「ハブ空港」。米中の貿易摩擦で収益がガタ落ち？

アジアの重要拠点となる空港は？

２０２０年中は新型コロナウイルス流行の影響で世界的に航空輸送量は低下したが、２０２１年１～２月には前年同月比を上回るレベルに復調しつつある。

２０１９年の段階で、東アジア各国の空港の数を比較すると、日本は97、韓国は15、中国は２３６カ所（香港・マカオ含む）となる。韓国だけ少なくみえるが、人、モノの動きはさかんだ。

飛行機による輸送量は、旅客なら「旅客数×移動距離」、貨物は「重量×移動距離」で示される。日本は旅客が約１９１５億人キロメートル、貨物が約１０７億トンキロメートルだ。韓国は旅客が１４９３億人キロメートル、貨物が１１０億トンキロメートル。韓国の人口は日本の半分以下だが、大した差がない。

韓国では、高速鉄道（ＫＴＸ）が開業して以来、国内線は輸送量が縮小している。

だが、ソウル西方の仁川国際空港は、日本や東南アジア、アメリカなどの各国と中国を中継するハブ空港として利用されている。

政治の影響を避けられない貿易拠点

韓国のメーカーが海外に輸出するＩＴ機器のみならず、中国から日本やアメリカに向けて輸出する工業製品の多くが、韓国の空港を経由している。その結果、米中の貿易摩擦で双方の輸出入が減れば、韓国の航空会社の収益はガタ落ちする。

中国の空の輸送量は、旅客がじつに1兆人キロメートル以上、貨物が約358億トンキロメートルにのぼる。これは中国の本土と香港を合わせた量だが、じつは香港だけで旅客・貨物ともに韓国の年間の輸送量を超えている。

出典：一般財団法人 日本航空機開発協会「世界の空港」

運輸・交通

05 海外旅行

出国者の割合は日本の倍以上！急速に「外向き」志向が強まる韓国

1年で8割以上減った海外旅行者数

国連世界観光機関（UNWTO）によれば、新型コロナウイルスの流行にともなう2020年の国際観光収入減は、1兆3千億ドル（約135兆円）におよぶ。新型コロナウイルスの流行は中国の武漢からはじまっただけに、海外旅行者数がもっとも大きく減ったのはアジア太平洋地域で、前年比84％の減少だ。同年の日本の観光収入の損失額は240億6900万ドルと推計されている。

コロナ禍より以前、2017年の訪日外国人が2869万人におよび、このうち約736万人が中国から、714万人が韓国から訪れ、観光収入は約4兆円におよんだ。だが、コロナ禍を機に、日本国内の観光地では、海外からの観光客による「インバウンド消費」に頼るビジネスモデルの見直しが唱えられている。

韓国は6年ほどで出国者が倍増

ところで、２０１０年代を通じての「海外への出国者数」に着目すると、意外な事実が浮かびあがる。

日本の出国者数は２００５年ごろから大きな変化はなく、２０１８年は１８９５万人だ。

一方、韓国はウォン高が進んだ２０１１年から２０１８年のあいだに出国者数が倍増し、今や２８７０万人と日本より多くなっている。韓国の人口は日本の半分以下なので、比率は日本の倍以上だ。ちなみに、韓国人の渡航先は日本とならんでアメリカや中国も人気だ。

中国からの出国者数は年間１億４９７２万人で、こちらも２０１１年の数値から倍増している。

渡航者数がコロナ禍以前のペースに回復するのがいつになるかは諸説いわれているが、各国の交通・運輸関係の団体は、２０２２~２４年ごろと推定している。

出典：The World Bank,World Development Indicators

運輸・交通

06 ドローン

特許出願数で世界のベスト5以内に入る、日本・韓国・中国のドローン技術

お祭りの空を飾るのは花火ではなくドローン

世界の交通・運輸で無視できない存在になりつつあるのがドローンだ。荷物の運搬から、空中撮影や測量、農薬の散布や種まき、建築物の点検、原子力発電所のメンテナンス、軍事目的の偵察や爆撃まで、用途は幅広い。

ドローン関係の特許出願数を比較すると、2017年の時点で日本は1223件、韓国は1047件で、それぞれ世界4位と5位だ。日韓とも研究がさかんといえるが、中国はじつに5188件で世界1位となっている。

中国では、秋の国慶節など大きなイベントでよく夜空に美しい花火を打ち上げるが、近年はLEDライトを装備した数百機ものドローンを放ち、空中に巨大な文字や模様を描いてみせるのが通例になりつつある。

ドローン宅配に高まる期待

国土が広い中国では、阿里巴巴集団《アリババグループ》やＪＤ（京東）などのネット通販大手がドローン宅配を開始。中国のドローンメーカーであるＥＨａｎｇ（億航）は、ドイツの空運会社ＤＨＬと提携した広東省でのドローン宅配サービスで、配達時間の短縮と物流コストの20％削減を実現したという。

韓国でも２０１８年から、離島に向かう船便に代わってドローンを利用した郵便配達を開始した。韓国の国土交通省は、２０２５年までに無人航空機で人を運ぶ「ドローンタクシー」を実用化すると発表している。

日本も２０２０年はドローンビジネス市場が１８４１億円と、前年比31％増の成長をとげた。同年にはソニーもドローン事業参入を発表しており、山林調査や建設現場の点検に使われるエアロセンス社の「ＡＥＲＲＯＢＯ」など、国産ドローンの活躍の場が広がりつつある。

ドローン関連特許出願数(2017年)

出典：インプレス「ドローンジャーナル」

運輸・交通

07 宇宙開発

アメリカを抜いた中国のロケット数。激化する宇宙ビジネスのゆくえ

年間打ち上げ回数で世界一を達成した中国

気象観測からスパイ活動まで、宇宙を飛ぶ人工衛星の数は2017年の時点で約4400機におよぶ。中国の人工衛星は192基でアメリカに次ぐ世界2位、日本は60基だ。韓国も9基を運用しているが、アメリカ、ロシア、日本など諸外国のロケットを借りて打ち上げられた。韓国は国産ロケットの開発を進めており、2020年代には自力での打ち上げをめざしている。

2018年には、中国のロケット打ち上げ回数が39回（1回は失敗）と、アメリカの31回を抜いて世界一となった。さらに、中国はサウジアラビアやエチオピアなどの新興国の人工衛星を受託して打ち上げている。海外にも「宇宙ビジネス」の顧客を増やしつつある。

民間企業が次々と参入する宇宙開発競争

アメリカではスペースXなど、民間の宇宙企業が注目を集めているが、中国は軍と民間企業が協力して開発を進めているとされる。2018年には、アリババグループ（阿里巴巴集団）が小型宇宙ステーションの「糖果罐号（candy《キャンディ》 pot《ポット》）」と、通信衛星の「天猫国際号《テンマオグローバル》」を打ち上げた。

日本でも、2019年にホリエモンこと堀江貴文氏が出資する民間企業のインターステラテクノロジズ（北海道・大樹町）が、クラウドファンディングで資金を調達し、小型ロケットの打ち上げ実験に成功した。同社は、将来的には、通信や宇宙からの撮影などに利用できる小型衛星の打ち上げを低価格で代行するサービスも視野に入れている。

人工衛星を打ち上げたい、宇宙実験を行ないたい企業や個人が、日本のほか、アメリカ、中国などの業者から委託先を選ぶ時代がくるかもしれない。

運用中の人工衛星の数（2017年）

出典：Record Chinaほか

■主要参考資料

『世界の統計 2021』総務省統計局（日本統計協会）
『世界国勢図会 2020/21』（矢野恒太記念会）
『世界年鑑 2019』（共同通信社）
『中国年鑑 2019』中国研究所（明石書店）
『世界の厚生労働 2019』厚生労働省（正陽文庫）
『アジア動向年報 2019』アジア経済研究所（日本貿易振興機構アジア経済研究所）
『中国情報ハンドブック 2019年版』21世紀中国総研（蒼蒼社）
「中央公論」2020年1月号（中央公論新社）
「文藝春秋」2020年2月号（文藝春秋）
「Newsweek」2019年12月3日号（ＣＣＣメディアハウス）
「週刊エコノミスト」2019年10月8日（毎日新聞出版）
「週刊エコノミスト」2019年11月26日号（毎日新聞出版）
『地球の歩き方 ガイドブック 中国 2019年～2020年版』地球の歩き方編集室（ダイヤモンド・ビッグ社）
『地球の歩き方 ガイドブック 韓国 2019年～2020年版』地球の歩き方編集室（ダイヤモンド・ビッグ社）
『地球の歩き方 ガイドブック 台湾 2019年～2020年版』地球の歩き方編集室（ダイヤモンド・ビッグ社）
『北朝鮮を知るための55章［第２版］』石坂浩一（明石書店）

〈STAFF〉
文章　佐藤賢二
図·イラスト　原田弘和
本文デザイン·DTP　造事務所、伏田光宏

本書は、書き下ろし作品です。

編著者紹介
造事務所（ぞうじむしょ）
企画・編集会社（1985年設立）。編著となる単行本は年間約30冊。おもな編著書に『一冊でわかる中国史』（河出書房新社）、『10の「感染症」からよむ世界史』（日経ビジネス人文庫）など。

PHP文庫　最新データでわかる
日本人・韓国人・中国人

2021年6月14日　第1版第1刷

編著者	造事務所
発行者	後藤淳一
発行所	株式会社PHP研究所

東京本部　〒135-8137　江東区豊洲5-6-52
PHP文庫出版部　☎03-3520-9617（編集）
普及部　☎03-3520-9630（販売）
京都本部　〒601-8411　京都市南区西九条北ノ内町11

PHP INTERFACE　https://www.php.co.jp/

印刷所	株式会社光邦
製本所	東京美術紙工協業組合

ISBN978-4-569-90024-7

PHP文庫

日本人が意外と知らないアジア45カ国の国民性

造事務所 編著

電車内で料理をする人がいるインド。デヴィ夫人の夫、スカルノ大統領には姓がない⁉　同じアジアでも全く違う各国の国民性がよくわかる！